L'ÉCLUSE N° 1

OUVRAGES DE GEORGES SIMENON
DANS CETTE COLLECTION

GEORGES SIMENON

LE COMMISSAIRE MAIGRET

L'ÉCLUSE N° 1

PRESSES POCKET

© *Georges Simenon, 1977.*

ISBN 2-266-00436-0

1

QUAND on observe des poissons à travers une couche d'eau qui interdit entre eux et nous tout contact, on les voit rester longtemps immobiles, sans raison, puis, d'un frémissement de nageoires, aller un peu plus loin pour n'y rien faire qu'attendre à nouveau.

C'est dans le même calme, comme sans raison aussi, que le tramway 13, le dernier « Bastille-Créteil », traîna ses lumières jaunâtres tout le long du quai des Carrières. Au coin d'une rue, près d'un bec de gaz vert, il fit mine de s'arrêter, mais le receveur agita sa sonnette et le convoi fonça vers Charenton.

Derrière lui, le quai restait vide et stagnant comme un paysage du fond de l'eau. A droite, des péniches flottaient sur le canal, avec de la lune tout autour. Un filet d'eau se faufilait par une vanne mal fermée de l'écluse, et c'était le seul bruit sous le ciel encore plus quiet et plus profond qu'un lac.

Deux débits de boissons restaient éclairés,

face à face, chacun à un coin de rue. Dans l'un, cinq hommes jouaient aux cartes, lentement, sans parler. Trois portaient des casquettes de marinier ou de pilote et le patron attablé avec eux était en bras de chemise.

Dans l'autre débit, on ne jouait pas. Il n'y avait que trois hommes. Ils étaient assis autour d'une table et ils regardaient rêveusement les petits verres de marc. La lumière était grise et sentait le sommeil. Le tenancier à moustaches noires, qui portait un tricot bleu, bâillait de temps en temps avant de tendre le bras pour saisir son verre.

En face de lui, il y avait un petit homme tout envahi de poils drus et jaunes comme du mauvais foin. Il était triste, ou engourdi, peut-être ivre? Ses prunelles claires nageaient dans une eau trouble et parfois il balançait la tête comme pour approuver son discours intérieur, tandis que son voisin, un homme du canal aussi, laissait errer son regard dehors, dans la nuit.

Le temps fuyait sans bruit, sans même le battement d'une horloge. Après l'estaminet, il y avait un rang de bicoques entourées de jardinets, mais leurs lampes étaient éteintes. Puis, au n° 8, une maison de six étages, toute seule, déjà vieille et enfumée, trop étroite pour sa hauteur. Au premier, un peu de clair filtrait des persiennes. Au second, où il n'y avait pas de volets, un store écru formait un rectangle de lumière.

En face, enfin, au bord du canal, des tas de

pierres, de sable, une grue, des tombereaux vides.

Et pourtant une musique palpitait dans l'air, qui sortait de quelque part. Il fallait chercher. C'était plus loin que le 8, dans un renfoncement, une baraque en bois portant le mot « Bal ».

On ne dansait pas et même il n'y avait personne que la grosse patronne qui lisait son journal et qui se levait parfois pour introduire cinq sous dans le piano mécanique.

Il fallait bien que quelqu'un ou quelque chose bougeât à un moment donné, et ce fut le marinier tout velu, dans le débit de droite. Il se leva avec peine, regarda les verres, fit un calcul mental, tout en fouillant sa poche. Puis, ayant compté de la monnaie, il la mit sur le bois lisse de la table, toucha le bord de sa casquette et louvoya vers la porte.

Les deux autres se regardèrent. Le patron cligna de l'œil. La main du vieux hésita dans le vide avant de saisir le bec-de-cane et l'homme oscilla en se retournant pour fermer la porte derrière lui.

On entendait ses pas comme s'il eût marché sur des pavés creux. C'était irrégulier. Il en faisait trois ou quatre et s'arrêtait, hésitant ou préoccupé de son équilibre. Arrivé près du canal, il heurta le parapet qui résonna, s'engagea dans l'escalier de pierre et se trouva sur le quai de déchargement.

Les contours des bateaux étaient nettement dessinés par la lune. Les noms étaient lisibles comme en plein jour. La péniche la plus proche, séparée du bord par une planche servant de passerelle, s'appelait : *La Toison d'Or*. Il y avait d'autres bateaux derrière, à gauche, à droite, sur cinq rangs au moins, les uns le ventre ouvert près d'une grue, attendant d'être déchargés, d'autres le nez déjà sur la porte de l'écluse qu'ils franchiraient au petit jour, d'autres enfin qu'on voit rester comme inutiles, Dieu sait pourquoi, dans les ports.

Le vieux, tout seul dans l'univers immobile, eut un hoquet et s'engagea sur la planche qui s'incurva. Au milieu, il eut l'idée de se retourner, peut-être pour apercevoir les fenêtres du bistrot. Il réussit la première partie de son mouvement, oscilla, raidit les reins et se trouva dans l'eau, cramponné d'une main à la planche.

Il n'avait pas crié. Il n'avait même pas grogné. Il n'y avait eu qu'un clapotement qui se mourait déjà car l'homme s'agitait à peine. Le front plissé comme s'il eût été obligé de réfléchir, il forçait sur ses poignets pour se hisser sur la planche. Il n'y réussissait pas, s'obstinait, l'œil fixe, la respiration forte.

Des amoureux, sur le quai, collés au mur de pierre, écoutaient immobiles, en retenant leur souffle. Une auto corna dans Charenton.

Et soudain un hurlement, une plainte inouïe s'éleva, déchirant l'immensité calme.

C'était le vieux qui, dans l'eau, se déchirait la gorge d'épouvante. Il ne faisait plus d'effort raisonné. Il se débattait comme un forcené, avec des coups de pied qui rendaient l'eau bouillonnante.

D'autres bruits naissaient à l'entour. On remuait dans une péniche. Ailleurs, une voix de femme endormie disait :

« Tu vas voir? »

Des portes s'ouvraient, là-haut, sur le quai, celles des deux bistrots. Contre le mur de pierre, le couple se désunissait et l'homme soufflait :

« Rentre vite! »

Il faisait quelques pas, hésitant. Il disait à voix haute :

« Où est-ce? »

Il écoutait le cri. Il se repérait. D'autres voix se rapprochaient et des gens se penchaient sur le parapet.

« Qu'est-ce que c'est? »

Et le jeune homme répondait en courant :

« Je ne sais pas encore. Par là... Dans l'eau... »

Sa compagne restait à sa place, sans oser avancer ni reculer, les mains jointes.

« Je le vois!... Venez vite!... »

La plainte, en faiblissant, devenait un râle formidable. L'amoureux apercevait les mains crispées à la planche, la tête émergeant de l'eau, mais il ne savait comment s'y prendre et, tourné vers l'escalier du quai, il attendait en répétant :

11

« Venez vite... »

Quelqu'un disait sans s'émouvoir :

« C'est Gassin! »

Ils étaient sept à s'approcher, les cinq d'un bistrot et les deux de l'autre.

« Avance encore... Tu lui prendras un bras et moi l'autre...

— Attention à la planche! »

Elle ployait sous le poids. De l'écoutille de la péniche, on voyait germer une forme blanche, des cheveux clairs.

« Tu le tiens? »

Le vieux ne criait plus. Il n'était pas évanoui. Il regardait droit devant lui sans comprendre, sans faire un effort pour aider ses sauveteurs.

Et on le sortait de l'eau petit à petit, si mou qu'il fallut le traîner jusqu'à la berge.

La forme blanche s'avançait sur la passerelle. C'était une jeune fille en longue chemise de nuit, pieds nus, et les rayons de lune qui l'auréolaient dessinaient son corps nu sous la toile. Elle était seule à regarder encore l'eau qui redevenait lisse et voilà qu'elle criait à son tour, qu'elle montrait quelque chose de flou, de blafard comme une méduse.

Deux de ceux qui soignaient le marinier se retournèrent, et quand ils virent la tache laiteuse dans l'eau noire ils eurent la même sensation de froid à la nuque.

« Dites donc, vous autres... Il y a... »

Ils regardaient tous et ils en oubliaient le

marinier affalé sur les pavés striés de rigoles d'eau.

« Apporte une gaffe ! »

Ce fut la jeune fille qui en saisit une, sur le pont de la péniche, et qui la leur tendit. Ils n'étaient plus les mêmes. Ni l'atmosphère. Ni même la température de la nuit ! Il faisait plus froid soudain, avec des bouffées tièdes.

« Tu le croches ? »

Le fer de la gaffe se promenait dans l'eau et repoussait la masse informe en essayant de l'accrocher. Un homme à plat ventre sur la planche agitait la main pour atteindre un lambeau de vêtement.

Et sur les péniches, dans la nuit, on devinait des gens debout, qui attendaient sans rien dire.

« Je le tiens...

— Amène doucement... »

Le vieux, sur le quai, perdait son eau comme une éponge tandis qu'on hissait un noyé plus gros, plus lourd, plus inerte. D'un remorqueur, très loin, une voix questionna simplement :

« Mort ? »

Et la jeune fille en chemise regardait les gens qui étalaient le corps sur le quai, à un mètre de l'autre. Elle n'avait pas l'air de comprendre ; ses lèvres frémissaient comme si elle allait pleurer.

« Nom de Dieu... C'est Mimile !

— Ducrau ! »

Ils ne savaient plus où regarder, ces hommes debout autour des hommes couchés. Ils étaient empoignés par l'angoisse. Ils voulaient agir et ils avaient l'air d'avoir peur.

« Il faut tout de suite...

— Oui... J'y vais... »

Quelqu'un courut vers l'écluse. On l'entendit qui frappait la porte de la maison à deux mains et qui criait :

« En vitesse! Vos appareils! C'est Émile Ducrau! »

Émile Ducrau... Émile Ducrau... Mimile?... Ducrau... Cela se disait, se répétait d'une péniche à l'autre et les gens enjambaient des gouvernails et des passerelles, tandis que le patron du bistrot levait et abaissait les bras du noyé.

On oubliait le vieux. On ne s'apercevait même pas que, perdu parmi les jambes qui le frôlaient, il se soulevait, promenait autour de lui un regard hébété.

L'éclusier accourait. Un homme dégringolait l'escalier devant un agent.

Une fenêtre s'ouvrait au second étage de la maison haute et une femme se penchait, en rose dans la lumière rose d'un abat-jour de soie.

« Il est mort? » chuchotait-on.

On ne savait pas. On ne pouvait pas savoir. L'éclusier installait sa pompe respiratoire et on entendait le bruit régulier de la mécanique.

Au milieu du désordre, des mots balbutiés, des ordres donnés à voix basse, des semelles qui écrasaient le gravier, le marinier se soulevait sur les mains, titubait, heurtait un voisin qui l'aidait à se lever.

C'était mou et vague, feutré, déformé comme uns scène sous-marine.

Le vieux, qui tenait à peine debout, contemplait le deuxième corps comme dans un rêve et haletait, toujours ivre, l'haleine plus lourde d'alcool que jamais :

« Il m'a croché, là-dessous ! »

C'était aussi étrange de le voir debout et surtout de l'entendre que si c'eût été un revenant. Lui regardait le corps, la machine respiratoire, et l'eau, l'eau surtout, près de la passerelle.

« Il ne voulait pas me lâcher, le bougre ! »

On l'écoutait sans y croire. La jeune fille en blanc voulait lui mettre une écharpe autour du cou mais il la repoussait, il restait campé à la même place, songeur, méfiant, comme s'il se fût heurté à un problème surhumain.

« C'est venu du fond, grommelait-il pour lui-même. Quelque chose qui m'a pris dans les jambes. J'y ai donné des coups de talon mais, plus que je frappais, plus que ça s'entortillait... »

Une marinière apporta une bouteille d'eau-de-vie et en tendit un verre au vieux qui en renversa plus de la moitié, car il ne quittait pas le corps des yeux et il réfléchissait toujours.

« Que s'est-il passé au juste ? » questionnait le sergent de ville.

Mais le bonhomme se contenta de hausser les

épaules et continua son obsédant monologue, plus bas, dans la broussaille de ses poils.

A part ceux qui manœuvraient la pompe, les gens, par groupes, flottaient sur le quai. On attendait le médecin.

« Va te coucher, disait quelqu'un à sa femme.

— Tu viendras me dire...? »

On n'avait pas remarqué que le vieux chipait la bouteille posée sur une pierre de taille et maintenant il était assis tout seul, le dos au mur du quai, à boire au goulot et à réfléchir si âprement qu'il en avait les traits crispés.

De sa place, il pouvait voir le noyé et c'est à lui que ses grognements s'adressaient. Car il lui faisait des reproches. Il l'engueulait. Il l'accusait de sombres machinations et même, par moments, il le défiait de revenir à lui.

La jeune fille en chemise essaya de lui reprendre la bouteille, mais il se contenta de lui dire :

« Toi, va te coucher! »

Il l'écartait, car elle l'empêchait de voir son compagnon. Ils n'étaient pas plus grands l'un que l'autre, mais le second était plus large, plus épais, avec un cou massif, une tête carrée couverte de cheveux drus.

On écoutait le grondement d'une auto. On suivait des yeux les silhouettes qui en sortaient, là-haut, et qui s'engageaient dans l'escalier. Il y avait des agents et un médecin. Les agents, tout de suite, sans même savoir, écartaient les curieux. Le médecin posait sa trousse sur un bloc de béton.

Un inspecteur en civil, qui venait de parler aux gens, se tournait vers le vieux qu'on lui désignait. Mais il était trop tard pour le questionner. Il avait à moitié vidé la bouteille d'eau-de-vie et il regardait chacun d'un œil soupçonneux.

« C'est votre père? » demanda l'inspecteur à la jeune fille en chemise de nuit.

Elle ne parut pas comprendre. Or, il se passait trop de choses à la fois. Le patron du bistrot s'approcha pour déclarer :

« Gassin était déjà mûr. Il aura glissé sur la passerelle.

— Et celui-ci? »

Le docteur déshabillait l'autre.

« Émile Ducrau, celui des remorqueurs et des carrières, il habite là. C'était la maison haute, avec les persiennes du premier qui perdaient toujours des filets de lumière et les fenêtres roses du second.

— Au deuxième? »

Les gens hésitaient à expliquer.

« Au premier », disait l'un.

Et un autre ajoutait, mystérieux :

« Et au second aussi! Enfin, il a quelqu'un au second.

— Comme qui dirait un autre ménage! »

La fenêtre se refermait, là-haut, sur la chambre rose et le store se baissait.

17

« On a prévenu la famille ?

— Non. On attendait de savoir.

— Va mettre des bas, disait un marinier à sa femme. Apporte-moi ma casquette. »

Et c'est ainsi que de temps en temps une silhouette passait d'un bateau à l'autre. Par les écoutilles et les hublots, on apercevait des lampes à pétrole, parfois des lits défaits, des photographies sur les cloisons de pitchpin.

Tout bas, le médecin disait à l'inspecteur :

« Vous devriez avertir le commissaire. Cet homme a reçu un coup de couteau avant d'être jeté à l'eau.

— Il est mort ? »

On eût dit que le noyé n'attendait que cela pour ouvrir les yeux en même temps que, dans un soupir, il rendait l'eau. Il voyait tout de travers, car il était couché par terre et son horizon était le ciel criblé d'étoiles. Pour lui, les gens se dressaient gigantesques, dans l'infini. Les jambes étaient comme d'interminables colonnes. Il ne disait rien. Il ne pensait peut-être pas encore. Il regardait lentement, sévèrement, et peu à peu ses prunelles devenaient moins fixes.

On avait dû entendre son soupir, car tout le monde s'avançait en même temps et les agents, soudain, donnaient à la scène son caractère officiel normal, c'est-à-dire qu'ils faisaient la haie, repoussaient la foule, ne laissaient dans leur cercle que ceux dont la présence était nécessaire.

L'homme couché voyait ainsi l'espace se vider autour de lui, et des uniformes, des képis à galons d'argent. Il continuait à baver de l'eau grise qui coulait de son menton sur sa poitrine, tandis que, sans arrêt, on lui agitait les bras. De ses bras aussi, les siens, il suivait les mouvements avec curiosité et il fronça les sourcils quand quelqu'un murmura, au dernier rang :

« Il est mort ? »

Le vieux Gassin se levait, sans lâcher sa bouteille ; il faisait trois pas indécis, se campait entre les jambes du noyé qu'il interpellait, la bouche si pâteuse, la langue si épaisse, qu'on ne distingua pas une seule syllabe.

Mais Ducrau le voyait. Il ne le quittait plus des yeux. Il pensait. Il devait fouiller dans sa mémoire.

« Allez plus loin ! » gronda le médecin en repoussant Gassin si brusquement que l'ivrogne roula par terre, cassa la bouteille et resta à la même place, gémissant, fulminant, s'efforçant de chasser sa fille penchée sur lui.

Une auto stoppait encore sur le quai et un nouveau groupe se formait autour du commissaire de police.

« On peut le questionner ?

— Vous ne risquez rien d'essayer.

— Vous croyez qu'il s'en tirera ? »

Ce fut l'homme lui-même, Émile Ducrau, qui

répondit par un sourire. C'était un drôle de sourire, encore vague, pareil à une grimace, mais on sentait très bien qu'il se rapportait à la question posée.

Le commissaire, un peu confus, salua en retirant son chapeau.

« Je vois avec plaisir que vous allez mieux. »

C'était gênant de parler de haut en bas à un homme dont le visage était tourné vers le ciel, et sur qui les sauveteurs travaillaient toujours.

« Vous avez été assailli? Vous étiez loin d'ici? Savez-vous à quel endroit vous avez été frappé, puis jeté à l'eau? »

La bouche rendait toujours de l'eau par saccades. Émile Ducrau ne se pressait pas de répondre, ni même d'essayer de parler. Il tourna un peu la tête parce que la jeune fille en blanc passait dans le rayon de son regard, et il la suivit des yeux jusqu'à la passerelle.

Elle allait, aidée d'une voisine, préparer du café pour son père, qui se débattait quand on parlait de le coucher dans son lit.

« Vous vous souvenez de ce qui s'est passé? »

Et, comme il ne répondait toujours pas, le commissaire prit le docteur à part.

« Croyez-vous qu'il me comprenne?

— On le dirait.

— Pourtant... »

Ils tournaient le dos au noyé dont ils eurent la stupeur d'entendre la voix.

« ... me faites mal... »

Tout le monde le regarda. Il manifestait de l'impatience. Il devait faire un effort pour parler. En bougeant péniblement un bras, il ajouta :

« Veux aller chez moi... »

Ce que la main essayait de désigner, c'était la maison de six étages, là-bas, juste derrière lui. Le commissaire était contrarié, hésitant.

« Excusez-moi d'insister, mais c'est mon devoir. Avez-vous vu vos agresseurs? Les avez-vous reconnus? Peut-être ne sont-ils pas encore loin... »

Leurs regards se croisaient. Celui d'Émile Ducrau était ferme. Et pourtant l'homme ne répondit pas.

« Il va y avoir une enquête et le Parquet me demandera certainement si... »

Ce fut inattendu. Cette masse, qui paraissait si molle sur les pavés clairs du quai de déchargement, s'anima un moment et repoussa tout ce qui la gênait.

« Chez moi! » répéta Ducrau, furieux.

Et on sentit que si on continuait à le contrecarrer il se fâcherait, qu'il reprendrait assez de force, peut-être, pour se mettre debout et foncer dans le tas.

« Attention, s'écria le médecin. Votre blessure peut saigner... »

Mais il s'en moquait, cet homme au cou de ruminant qui en avait assez, soudain, d'être par terre au milieu des curieux!

« Qu'on le transporte chez lui », soupira le commissaire résigné.

On avait amené la civière de l'écluse n° 1. Ducrau ne voulait pas de la civière. Il grognait. Il fallait le tenir aux bras, aux jambes, aux épaules. Tandis qu'on le transportait, il regardait les gens avec colère et les gens s'écartaient, car ils en avaient peur.

On traversa la rue. Le commissaire arrêta le cortège.

« Un instant. Je dois d'abord avertir sa femme. »

Il sonna, tandis que les porteurs restaient en attente sous le bec de gaz vert qui marquait l'arrêt des tramways et des autobus.

Pendant ce temps-là, des mariniers avaient toutes les peines du monde à franchir la passerelle de *La Toison d'Or* avec le vieux Gassin ivre mort, qui s'était par surcroît blessé à la main d'un éclat d'une bouteille.

2

QUAND, le surlendemain, le commissaire Maigret descendit du tramway 13 en face des deux bistrots, il était dix heures du matin et, debout au bord du trottoir, du soleil plein les yeux, du bruit plein les oreilles, Maigret resta un bon moment à froncer les sourcils, tandis que des camions blancs de ciment s'interposaient entre lui et le canal...

Il n'avait pas assisté à la descente du Parquet et sa connaissance des lieux, comme de l'affaire, était théorique. Sur le petit plan qu'on lui avait tracé, c'était fort simple : le canal à droite, avec l'écluse et le bateau de Gassin amarré au quai de déchargement ; à gauche les deux bistrots, la haute maison et, tout au bout, le petit bal.

Peut-être en était-il ainsi, sans perspective, sans arrière-plans, sans vie. Mais rien que des bateaux, par exemple, il y en avait cinquante dans le bassin qui surmonte l'écluse, les uns à quai, les autres serrés contre eux, d'autres enfin qui évoluaient lentement dans le soleil. Et dans la rue, c'était un mouvement sans fin, fait surtout de poids lourds traînant leur vacarme.

L'âme du paysage, pourtant, était ailleurs, son cœur en tout cas, dont les battements donnaient le rythme à l'air lui-même. C'était au bord de l'eau, un haut appareil biscornu, une tour en ferraille qui, la nuit, ne devait être qu'une tache grise mais qui, de jour, crachait du bruit par toutes ses tôles, par tous ses longerons, par chaque poulie, tout en concassant de la pierre qui dégringolait sur des tamis pour repartir plus loin, toujours dans le vacarme, et finir enfin sur des tas fumants de poussière.

On distinguait, tout en haut de la machine, une plaque d'émail bleu : « Entreprises Émile Ducrau. »

Du linge séchait sur des fils tendus au-dessus des péniches, et une jeune fille blonde lançait de l'eau à la volée sur le pont de *La Toison d'Or*.

Un tramway 13 passa encore, puis un second, et Maigret, qui était tout baigné de tiédeur, la peau moite et voluptueuse comme elle ne l'est qu'aux premiers soleils d'avril, se dirigea sans conviction vers la maison haute. Il ne vit pas de concierge à travers les vitres de la loge. Il y avait un tapis d'escalier usé, rouge sombre, et les marches étaient vernies, les murs peints en faux marbre. Le palier sentait la poussière, la médiocrité et la décence avec ses deux portes sombres, et la tache brillante du bouton de cuivre bien astiqué. Un rayon de soleil traversait une cour de biais et, filtrant par quelque lucarne, dorait la cage d'escalier.

Maigret sonna à deux ou trois reprises. Dès la seconde, il entendit du bruit à l'intérieur, mais cinq minutes s'écoulèrent avant que la porte s'ouvrît.

« M. Ducrau, s'il vous plaît?

— C'est ici. Entrez. »

La servante était rouge, trop animée, et Maigret sourit en la regardant, sans trop savoir pourquoi. C'était une grosse fille appétissante, surtout quand on la voyait de dos, car son visage grossier, aux traits durs et irréguliers, décevait ensuite.

« De la part de qui?

— De la Police judiciaire. »

Elle fit deux pas vers la porte et dut se baisser pour tendre son bas, puis elle fit deux pas encore, se crut cachée par le battant et rattacha sa jarretelle, tira sur sa combinaison tandis que Maigret souriait de plus belle. On chuchota à côté. La fille revint.

« Donnez-vous la peine d'entrer. »

Ce n'était pas seulement la faute du soleil si Maigret affichait ce sourire. Il jaillissait de source à ses lèvres, il s'y tenait épanoui. Dès l'antichambre, dès le paillasson presque, il avait eu l'intuition de ce qui se passait, et maintenant il en était sûr tandis qu'il prononçait :

« M. Ducrau? »

Ses yeux riaient, sa bouche esquissait une

moue involontaire et dès lors, entre les deux
hommes, la vérité fut comme avouée. Ducrau
regarda la servante, puis le visiteur, puis son
fauteuil de velours rouge. Ensuite il arrangea ses
cheveux plantés serrés qui n'en avaient pas
besoin et il sourit aussi, d'un sourire flatté, un
peu gêné, content quand même.

Trois fenêtres ruisselaient de soleil et l'une
d'elles, large ouverte, laissait à tel point pénétrer
les rumeurs de la rue, le vacarme du concasseur
que, quand Maigret voulut parler, il entendit à
peine sa voix.

Émile Ducrau s'était rassis dans son fauteuil
avec un soupir d'aise, et on sentait que malgré
tout, il n'était pas encore solide. De la scène
avec la servante, il lui restait une buée au front
et un rythme accéléré de la respiration. N'empêche que, dès la veille, le Parquet, stupéfait,
avait trouvé dans un fauteuil un homme qu'on
s'attendait à trouver anéanti sur son lit.

Il était en pantoufles, avec une chemise de
nuit à col brodé de rouge sous son vieux veston,
et on retrouvait le même laisser-aller médiocre
dans chaque détail du salon aux meubles
quelconques, qui tous dataient de trente ou
quarante ans, dans les cadres noir et or qui
entouraient des photographies de remorqueurs

et dans le bureau à cylindre installé dans un coin.

« C'est vous qui êtes chargé de l'enquête? »

Le sourire s'éteignait progressivement, Ducrau redevenait un homme sérieux, au regard inquisiteur, à la voix déjà agressive.

« Je suppose que vous avez déjà votre idée sur cette histoire? Non? Tant mieux, mais cela m'étonne de la part d'un policier! »

Il n'avait pas l'intention d'être désagréable. C'était son attitude naturelle. Parfois il grimaçait un peu, sans doute parce que sa blessure au dos le faisait souffrir.

« Vous boirez bien quelque chose! Mathilde!... Mathilde!... Mathilde, nom de Dieu!... »

Et, à la fille qui se montrait enfin, les mains savonneuses :

« Vous servirez du vin blanc. Du bon! »

Il remplissait le fauteuil de sa masse et le fait que ses pieds étaient posés sur un coussin de tapisserie faisait paraître ses jambes plus courtes.

« Voyons, que vous a-t-on raconté? »

Il avait l'habitude, en parlant, de jeter des petits coups d'œil par la fenêtre, dans la direction de l'écluse, il grogna soudain :

« Bon! Voilà qu'ils se laissent trémater par un « Poliet et Chausson »! »

Maigret vit une péniche chargée, au bord peint en jaune, qui pénétrait lentement dans le sas. Derrière elle, une autre péniche, marquée d'un triangle bleu, était en travers du canal et des gens, trois ou quatre, gesticulaient en échangeant sans doute des injures.

« Tous les bateaux à triangle bleu m'appartiennent », expliqua Ducrau en désignant une chaise à la bonne qui rentrait.

Et il lui dit :

« Mettez la bouteille et les verres là-dessus. Ici, c'est sans façon, commissaire. Je disais... Ah! oui, je suis curieux de savoir comment on raconte l'affaire. »

Sa bonhomie avait comme un arrière-fond de méchanceté et plus il regardait Maigret, plus cette méchanceté s'accentuait, peut-être parce que le commissaire, au physique, était aussi large et puissant que lui, en plus grand, et parce que son calme faisait, dans l'appartement, l'effet d'une grosse pierre impossible à déplacer.

« J'ai été saisi du dossier ce matin, déclara-t-il.

— Vous l'avez lu ? »

La porte d'entrée s'ouvrit, quelqu'un traversa l'antichambre et se montra. C'était une femme d'une cinquantaine d'années, maigre, triste, qui portait un filet à provisions et qui s'excusa :

« Pardon. Je ne savais pas... »

Déjà Maigret s'était levé.

« Mme Ducrau, je suppose? Je suis heureux de faire votre connaissance. »

Elle salua gauchement et se retira à reculons.

On l'entendit parler à la servante et Maigret sourit à nouveau, car il imaginait mieux encore que tout à l'heure les détails de la scène du matin.

« Ma femme n'a jamais pu se déshabituer de faire le ménage, grommela Ducrau. Elle pourrait se payer dix domestiques si elle le voulait et elle fait son marché elle-même !

— Vous avez débuté comme patron de remorqueur, je pense ?

— J'ai débuté comme on débute : à la chaudière ! Le chaudron s'appelait *L'Aigle*. Je l'ai eu en épousant la fille du patron, que vous venez de voir. A l'heure qu'il est, la série des *Aigles* en est à vingt-quatre. Tenez, rien que dans le bassin, il y en a deux qui vont remonter aujourd'hui jusqu'à Dizy et on m'en annonce cinq d'avalants. Tous les pilotes, dans les deux bistrots d'en bas, travaillent pour moi. J'ai déjà racheté dix-huit péniches, des flûtes, deux dragues... »

Ses yeux devenaient plus petits et finissaient par ne plus voir que les yeux de Maigret.

« C'est cela que vous vouliez savoir ? »

Et, tourné vers la porte :

« Silence, là-dedans ! hurla-t-il à l'adresse des deux femmes invisibles dont la conversation arrivait comme un murmure.

— A votre santé. On a dû vous dire que j'offre vingt mille francs à la police si elle découvre mon agresseur et c'est pour cela, je suppose, qu'on m'a envoyé quelqu'un de bien. Qu'est-ce que vous regardez ?

— Rien du tout, le canal, l'écluse, les bateaux... »

C'était prodigieux de vie, ce paysage lumineux découpé par les fenêtres. Vues d'en haut, les péniches paraissaient plus lourdes, comme enlisées dans une eau trop dense. Debout dans son bachot, un marinier passait au goudron la coque grise de son bateau qui émergeait de deux mètres. Et il y avait des chiens, des poules dans une cage en treillage, et la jeune fille blonde qui astiquait les cuivres du pont. Des gens allaient et venaient sur les portes de l'écluse et les bateaux qui sortaient en aval semblaient hésiter avant de se laisser glisser au fil de la Seine.

« En somme, tout cela est pour ainsi dire à vous ?

— Tout, c'est exagéré. Mais tout le monde que vous voyez dépend un peu de moi, surtout depuis que j'ai racheté les carrières de craie, là-haut, en Champagne. »

Le mobilier de l'appartement ressemblait à tous les mobiliers qu'à la Salle des Ventes on entasse pour les liquider le samedi, quand les petites gens viennent chercher une table ou une cuvette d'occasion. Une odeur d'oignons rissolés arrivait de la cuisine en même temps que le grésillement du beurre sur la poêle.

« Une question, si vous le permettez. Le rapport dit que vous ne vous souvenez pas de ce qui s'est passé avant le moment où on vous a repêché. »

Ducrau, l'œil pesant, coupait le bout d'un cigare.

« A quel moment exact s'arrêtent vos souvenirs? Pouvez-vous, par exemple, me raconter ce que vous avez fait dans la soirée d'avant-hier?

— Ma fille et son mari ont dîné ici. Son mari est capitaine d'infanterie à Versailles. Ils viennent tous les mercredis.

— Vous avez un fils aussi?

— Oui. Il est à l'École des Chartes, mais on le voit rarement à la maison, car je lui ai donné une chambre au cinquième.

— Donc, vous ne l'avez pas vu ce soir-là? »

Ducrau ne se pressait pas de répondre. Il ne quittait plus Maigret des yeux et, tandis qu'il tirait de lentes bouffées de son cigare, il pesait chaque question qu'on lui posait, chaque mot qu'il prononçait.

« Écoutez, commissaire. Je vais vous dire quelque chose d'important et je vous conseille de le retenir, si vous voulez que nous nous entendions. On n'a jamais joué au plus malin avec Mimile! Mimile, c'est moi. On m'appelait ainsi quand je n'avais encore que mon premier remorqueur et il y a encore des éclusiers, en Haute-Marne, qui ne me connaissent pas autrement. Vous me comprenez? Je ne suis pas plus bête que vous. Dans cette histoire, c'est moi qui paie ! C'est moi qui ai été attaqué ! C'est moi qui vous ai fait venir ! »

Maigret ne sourcillait pas, mais pour la première fois depuis longtemps il jubilait devant un personnage qui valait vraiment la peine d'être connu.

« Buvez votre verre. Prenez un cigare. Mettez-en quelques-uns en poche. Mais si ! Faites votre métier, mais pas de finasseries ! Quand le Parquet est venu me voir, hier, il y avait un pète-sec de juge d'instruction qui s'est promené ici avec ses gants beurre frais comme s'il avait peur de se salir. Eh bien, je lui ai demandé de retirer son chapeau et de cesser de fumer, pendant que je lui lançais ma fumée au nez. Vous saisissez ? A présent, je vous écoute.

— Une question, à mon tour. Maintenez-vous votre plainte ? Oui ? Et tenez-vous vraiment à ce que je découvre le coupable ? »

Il y eut, sur les lèvres de Ducrau, une ombre de sourire. Au lieu de répondre, il murmura :

« Ensuite ?

— C'est tout ! Il est encore temps.

— Vous n'avez rien d'autre à me dire ?

— Rien ! »

Et Maigret se leva, se campa, les pupilles contractées par le soleil, devant la fenêtre ouverte.

« Mathilde ! Mathilde !... cria le bonhomme. D'abord, vous essaierez de venir dès que je vous appelle. Ensuite vous mettrez un tablier propre.

Maintenant, allez me chercher une bouteille de champagne. Une des huit bouteilles du fond à gauche.

— Je ne bois pas de champagne, dit Maigret quand la bonne fut partie.

— Vous boirez de celui-là. C'est du brut nature 1897 que le patron de la plus grande maison de Reims m'a envoyé. »

Il était adouci. Il y avait même en lui l'ombre d'une émotion, mais c'était à peine sensible.

« Qu'est-ce que vous regardez ?

— Le bateau de Gassin.

— Vous savez que Gassin est un vieux camarade, le seul qui me tutoie encore ! Nous avons fait nos premiers voyages ensemble. Je lui ai confié un de mes bateaux qui fait surtout la Belgique.

— Il a une jolie fille. »

C'était plutôt une impression car, dans l'éloignement, Maigret ne voyait guère qu'une silhouette. Et cependant celle-ci donnait la certitude que la fille était belle. Une silhouette simple, pourtant ! Une robe noire et un tablier blanc, des pieds nus dans des sabots.

Ducrau ne répondait pas, et après quelques instants de silence, il articula, comme à bout de patience :

« Continuez ! la dame d'en haut, la bonniche, et le reste ! Je vous attends... »

La porte de la cuisine s'entrouvrit. Mᵐᵉ Ducrau, du seuil, risqua après avoir toussé :

33

« Faut-il faire prendre de la glace ? »

Et lui, rageur :

« Pourquoi pas faire chercher le champagne à Reims ? »

Elle disparut sans répondre et la porte resta entrebâillée tandis que Ducrau reprenait :

« Donc, j'ai installé au deuxième étage, juste au-dessus de cette pièce, une personne qui s'appelle Rose et qui était entraîneuse au *Maxim*... »

Il ne baissait pas la voix, au contraire. Sa femme devait entendre. Des verres tintaient dans la cuisine. La bonne entra avec un tablier propre et un plateau.

« Si vous voulez d'autres détails, je lui donne deux mille francs par mois et ses robes, mais elle les fait presque toutes elle-même. Ça va, vous ! Posez tout ici et filez ! Vous ne voulez pas déboucher la bouteille, commissaire ? »

L'habitude était prise. Maigret n'entendait plus le vacarme du concasseur, ni la rumeur de la rue qui se confondait avec le bourdonnement de deux grosses mouches dans la pièce.

« Nous parlions d'avant-hier. Ma fille et son idiot de mari ont dîné ici et, comme toujours, je suis parti après le dessert. Je n'aime pas les emmerdeurs et mon gendre est un emmerdeur. A votre santé ! »

Il fit claquer la langue et poussa un soupir.

« C'est tout. Il était peut-être dix heures. J'ai suivi le trottoir. J'ai bu un verre avec Catherine,

34

qui tient le bal un peu plus loin. Puis j'ai
continué et je suis arrivé au coin de la petite
rue, là-bas, où il y a une lanterne. J'aime encore
mieux boire des demis avec les filles qu'avec
mon gendre.

— Quand vous êtes sorti de cette maison,
vous n'avez pas remarqué qu'on vous suivait ?

— Je n'ai rien remarqué du tout.

— De quel côté vous êtes-vous dirigé ?

— Je n'en sais rien. »

C'était net. La voix était à nouveau agressive.
Ducrau s'enroua en avalant une trop grande
gorgée de champagne, toussa, cracha sur le tapis
déteint.

Le rapport du médecin disait que la blessure
au dos était superficielle et que l'armateur avait
passé de trois à quatre minutes dans l'eau, en
émergeant peut-être une ou deux fois.

« Naturellement, vous ne soupçonnez personne ?

— Je soupçonne tout le monde ! »

Il avait une physionomie étrange, une tête
large, charnue, aux traits épais et pourtant on
sentait que c'était dur, d'une solidité exception-
nelle. Son regard, quand il guettait un réflexe
de Maigret, rappelait celui des vieux paysans
qui font un marché à la foire mais, la seconde
d'après, les yeux bleus révélaient une naïveté
déroutante.

Tantôt il menaçait, criait, jurait, défiait, et

tantôt on se demandait s'il ne faisait pas tout
cela pour s'amuser.

« Voilà ce que je tenais à vous dire! Car, moi,
j'ai le droit de soupçonner tout le monde : ma
femme, mon fils, ma fille, son mari, la Rose, la
servante, Gassin...

— ... Sa fille...

— Aline aussi si vous voulez! »

Il y avait pourtant une nuance.

« Et je vais ajouter quelque chose. Tous ces
gens-là, qui m'appartiennent, je vous donne le
droit de les embêter autant qu'il vous plaira. Je
connais la police. Je sais qu'elle va renifler
jusque dans leurs poubelles. Nous pouvons
même commencer tout de suite. Jeanne!...
Jeanne!... »

Sa femme parut, étonnée, peureuse.

« Entre, sacrebleu! Ce n'est pas la peine de te
présenter aux gens avec des airs de domestique.
Prends un verre. Mais si! Trinque avec le
commissaire. Dis donc, devine ce qu'il veut
savoir, le commissaire? »

Elle était pâle et neutre, mal habillée, mal
coiffée, mal vieillie comme les meubles du
salon. Le soleil lui blessait les yeux et après
vingt-cinq ans de mariage elle sursautait encore
à chaque éclat de voix de son mari.

« Il voudrait savoir de quoi on a parlé
pendant tout le dîner avec Berthe et son mari. »

Elle essaya de sourire. Sa main, qui tenait la
coupe de champagne, tremblait, et Maigret

regardait les doigts tout plissés par les travaux de cuisine.

« Réponds. Bois d'abord.

— On a parlé de tout.

— Ce n'est pas vrai.

— Excusez-moi, monsieur le commissaire. Je ne vois vraiment pas ce que mon mari veut dire...

— Mais si, mais si! Allons, je vais t'aider... »

Elle se tenait droite près du fauteuil rouge où Ducrau s'enfonçait jusqu'à faire corps avec lui.

« C'est Berthe qui a commencé. Rappelle-toi. Elle a dit...

— Émile!

— Il n'y a pas d'Émile! Elle a dit qu'elle craignait d'avoir un enfant et que, dans ce cas, Decharme ne pourrait pas rester à l'armée, car il gagne trop peu pour payer une nourrice et tout ce qu'il faut. Je lui ai conseillé de vendre des cacahuètes. Est-ce vrai? »

D'un pauvre sourire, elle essaya de l'excuser.

« Tu devrais te reposer.

— Et qu'est-ce qu'il a proposé, le nigaud? Réponds! Qu'est-ce qu'il a proposé? De faire tout de suite le partage d'une partie de la fortune, puisqu'il faudra bien le faire un jour! Avec sa part, monsieur s'installerait en Provence, où le climat serait, paraît-il, excellent pour sa progéniture. Quant à nous, nous pourrions aller le voir pendant les vacances. »

Il ne s'échauffait pas. Ce n'était pas une

colère passagère. Au contraire! Il envoyait les mots lentement, durement, les uns après les autres.

« Qu'a-t-il ajouté au moment où je mettais mon chapeau? Je veux que tu le dises toi-même.

— Je ne sais plus. »

Elle était prête à pleurer. Elle posa son verre pour ne pas le renverser.

« Dis-le!

— Il a dit que tu dépensais assez d'argent autrement...

— Il n'a pas dit « autrement ».

— Avec...

— Eh bien?

— Avec les femmes.

— Et encore?

— Avec celle d'en haut.

— Vous avez entendu, commissaire? Vous n'avez rien d'autre à lui demander? Je vous dis ça parce qu'elle va pleurer et que ce n'est pas drôle. Tu peux aller! »

Il soupira encore, un long soupir qui ne pouvait jaillir que de son épaisse poitrine.

« Voilà déjà un échantillon! Si cela vous amuse, vous n'avez qu'à continuer tout seul. Demain, je serai debout, quoi qu'en dise le médecin. Vous me verrez comme tous les matins, dès six heures, sur les chantiers. Encore un verre? Vous avez oublié de prendre quelques cigares. Gassin vient encore de m'en passer cinq cents en fraude dans son bateau. Vous voyez que je ne vous cache rien. »

Il se leva lourdement, en pesant sur les bras du fauteuil.

« Je vous remercie de vos indications », prononça Maigret qui avait cherché la formule la plus banale.

Les yeux de Ducrau rirent. Ceux du commissaire aussi. Ils se regardaient ainsi avec la même gaieté assourdie, pleine de sous-entendus, peut-être de défi, peut-être aussi d'une curieuse attirance.

« J'appelle la bonne pour vous reconduire?

— Merci. Je connais le chemin. »

Ils ne se serrèrent pas la main et ce fut aussi comme d'un commun accord. Ducrau resta près de la fenêtre ouverte, profilé en sombre sur la perspective de lumière. Il devait être plus fatigué qu'il ne voulait le paraître, car sa respiration était précipitée.

« Bonne chance! Vous décrocherez peut-être les vingt mille francs! »

En passant devant la porte de la cuisine, Maigret entendit qu'on y pleurait. Il gagna le palier, descendit quelques marches, s'arrêta dans le rayon de soleil qui avait changé de place pour consulter une pièce du dossier qu'il avait en poche. C'était le rapport du médecin qui disait entre autres :

L'hypothèse de tentative de suicide est à écarter,

*car il est impossible à un homme de se frapper avec
un couteau à l'endroit de la blessure.*

Quelqu'un s'agita dans le clair-obscur de la loge, la concierge qui venait de rentrer. Et sur le trottoir, ce fut un bain de chaleur, de clarté, de bruit, de poussière colorée et de mouvement, le tramway 13 s'arrêta et repartit aussitôt. Le timbre du bistrot de droite résonna tandis que les cailloux dégringolaient dans le moulin du concasseur et qu'un petit remorqueur à triangle bleu sifflait tout ce qu'il pouvait, rageur, devant la porte de l'écluse qu'on lui fermait au nez.

3

Au milieu de l'enseigne d'un bleu ardent, un bateau à vapeur était surmonté d'un vol de mouettes et on lisait au-dessous : *Au rendez-vous des Aigles. Pilotage de la Marne et de la Haute-Seine.*

C'était le débit de droite. Maigret en poussa la porte et s'assit dans un coin, cependant que le silence se faisait autour de lui. Ils n'étaient que cinq hommes à une table, jambes croisées, la chaise renversée en arrière, la casquette penchée sur le front à cause du soleil. Quatre portaient un tricot bleu montant jusqu'au cou et tous avaient la même peau finement cuite, aux craquelures à peine visibles, et les cheveux qui déteignaient vers la nuque et les tempes.

Celui qui se leva et se dirigea vers Maigret était le patron.

« Qu'est-ce que vous prenez ? »

Le café était propre. Il y avait de la sciure de bois par terre, le zinc luisait et il régnait une odeur sucrée et amère qui disait l'heure de l'apéritif.

« ... Ouais!... » soupira un des hommes en rallumant son bout de cigarette.

Ce « ouais » devait se rapporter à Maigret, qui avait commandé un demi et qui tassait tout doucement le tabac dans sa pipe. Juste en face de lui, dans le groupe, un petit vieux à barbe jaune vida son verre d'un trait et grommela en s'essuyant les moustaches.

« Remets ça, Fernand! »

Son bras droit, entouré d'un pansement, achevait de révéler que c'était le vieux Gassin. Les autres commençaient d'ailleurs à se faire des signes d'intelligence en se montrant le marinier qui fixait Maigret avec tant de passion qu'il en plissait la peau velue de son visage.

Il avait déjà bu, cela se voyait à la molle maladresse de ses gestes. Il avait flairé en Maigret quelqu'un de la police et ses camarades s'amusaient de son émoi.

« Beau temps, Gassin! »

Il devenait déjà rageur.

« On dirait que tu as quelque chose à dire, à raconter à monsieur! »

Et l'un des hommes, simplement, adressa à Maigret une œillade qui signifiait :

« Ne faites pas attention! Vous voyez dans quel état il est. »

Peut-être le patron, seul, était-il un peu inquiet, mais les clients s'amusaient franchement et il y avait dans l'air une candeur cordiale. Par la fenêtre, on ne voyait guère que le parapet du quai, le mât et le gouvernail des péniches, le toit de la maison de l'éclusier.

« Quand c'est que tu lèves l'ancre, Gassin ? »

Et un autre, tout bas :

« Parlez-y ! »

On put croire que le conseil serait suivi. Le vieux se leva et, avec une fausse désinvolture d'ivrogne, marcha vers le comptoir.

« Encore un, Fernand ! »

Il regardait toujours Maigret et c'était quelque chose de très complexe que son regard, car il contenait de l'effronterie, certes, mais aussi comme un sourd désespoir.

Le commissaire frappa la table avec une pièce de monnaie pour appeler le patron.

« Combien ? »

Et Fernand, penché sur la table, d'ajouter, après avoir dit un chiffre, mais plus bas :

« Ne l'excitez pas. Il n'a pas dessoûlé depuis deux jours. »

C'était à peine murmuré et pourtant le vieux gronda de sa place :

« Qu'est-ce que tu dis ? »

Maigret s'était levé. Il ne cherchait pas d'histoires. Il avait son air le plus bonasse et il se dirigea vers la porte. Quand il eut traversé la rue, il se retourna et vit Gassin qui s'était approché de la fenêtre, son verre à la main, et qui le suivait des yeux.

L'air était plus chaud, d'un or sombre. Un clochard dormait, étendu de tout son long sur les pierres du quai, un journal déployé sur la tête.

Des autos passaient, des camions, des tramways, mais maintenant Maigret avait compris que c'était sans importance. Dans la rue, ce qui défilait de la porte était étranger au paysage. Paris passait par là pour gagner les bords de la Marne, mais ce n'était qu'un vrombissement et ce qui comptait, c'était l'écluse, le sifflet des remorqueurs, le concasseur de cailloux, les péniches et les grues, les deux bistrots de pilotes et surtout la haute maison où l'on voyait le fauteuil rouge de Ducrau dans le cadre d'une fenêtre.

En plein air, les gens étaient chez eux. Les ouvriers d'une grue cassaient la croûte, assis sur un tas de sable. Une marinière dressait la table sur le pont de son bateau et sa voisine faisait la lessive.

Sans se presser, le commissaire descendait les marches de pierre et retrouvait le rythme lent et fort qu'il avait connu lors d'un crime en Haute-Marne. Même cette odeur particulière au canal faisait surgir devant ses yeux des images de péniches glissant sans froisser l'eau.

Il était tout près de *La Toison d'Or*, au bois enduit de résine rousse. Le pont, qui venait d'être lavé, séchait par plaques et on ne voyait plus la jeune fille.

Maigret fit deux pas sur la passerelle, se retourna, aperçut le vieux accoudé au parapet. Il continua son chemin et appela, une fois à bord :

« Quelqu'un ! »

D'une péniche proche, la femme qui lavait son linge le regardait, tandis qu'il s'avançait vers une double porte ornée de vitraux bleus et rouges.

« Quelqu'un ! »

Au bas d'un escalier de quelques marches, on devinait une pièce propre et bien rangée ; on distinguait même le coin d'une table couverte d'une nappe.

Maigret descendit et, quand il fut sur la dernière marche, il eut en face de lui la jeune fille blonde qui, assise sur une chaise à fond de paille, donnait le sein à un bébé.

C'était si inattendu et si simple à la fois que le commissaire retira maladroitement son chapeau, poussa sa pipe toute chaude dans sa poche, fit un pas en arrière.

« Je vous demande pardon... »

La jeune fille devait avoir peur. Elle le regardait comme pour deviner ses intentions, mais elle ne quittait pas sa place et la petite bouche de l'enfant était toujours arrondie sur son sein.

« Je ne savais pas. Je suis chargé de l'enquête et je me suis permis de venir vous demander quelques renseignements. »

Maigret, en la regardant, était en proie à un vague malaise. Un pressentiment naissait, qu'il ne parvenait pas à préciser.

Autour de lui, la pièce était grande, toute en pitchpin verni. Dans un coin, il y avait un lit recouvert d'une courtepointe et surmonté d'un crucifix d'ébène. Le milieu de la cabine servait de salle à manger et la table était dressée pour deux personnes.

« Asseyez-vous », dit la jeune femme.

Sa voix aussi était inattendue et pourtant, de la fenêtre des Ducrau, Maigret avait eu déjà le sentiment de l'étrangeté d'Aline qui, de loin, avait quelque chose d'aérien.

Or, elle n'était ni mince ni frêle. Et même, quand on la voyait de près, on constatait qu'elle avait une chair saine et ferme, pleinement vivante. Ses traits étaient réguliers et son teint coloré contrastait avec la blondeur des cheveux.

Pourquoi l'ensemble évoquait-il de la faiblesse, donnait-il envie de la protéger ou de la consoler?

« C'est votre enfant? »

Pour dire quelque chose, Maigret désignait le bébé dont le berceau de bois tourné était près de lui.

« C'est mon filleul. » Elle souriait poliment, avec un geste de crainte.

« Vous êtes la fille de Gassin, n'est-ce pas?

— Oui. »

Elle avait une voix d'enfant, une docilité d'enfant sage que l'on questionne.

« Je suis confus de vous déranger à ce moment. Comme vous étiez ici quand, avant-hier, les événements se sont déroulés, je voudrais savoir si, pendant la soirée, personne n'est venu à bord. Émile Ducrau, par exemple.

— Oui. »

Maigret ne s'y attendait pas le moins du monde et il se demanda si elle avait bien compris sa question.

« Vous êtes sûre que Ducrau est venu ici le soir de l'attentat ?

— Je ne lui ai pas ouvert la porte.

— Il est monté sur le pont ?

— Oui. Il a appelé. J'allais me mettre au lit. »

Maigret entrevoyait une seconde cabine plus étroite que la première, où il y avait une couchette fixe. Tout en parlant, la jeune femme éloignait doucement de son sein l'enfant dont elle essuyait le menton, puis elle refermait son corsage.

« Quelle heure était-il ?

— Je ne sais pas.

— Était-ce longtemps avant que votre père tombe à l'eau ?

— Je ne sais pas. »

Elle devenait inquiète, sans raison apparente. Elle se leva pour poser le bébé dans le berceau et, comme il ouvrait la bouche pour crier, elle lui tendit une tétine de caoutchouc rouge.

« Vous connaissez bien Ducrau ?

— Oui. »

Elle activa le feu dans le poêle et mit du sel dans une casserole pleine de pommes de terre. Maigret, qui suivait chacun de ses gestes, avait compris. Elle n'était peut-être pas folle, mais il y avait un voile entre elle et le monde extérieur. Tout était feutré, amorti, ses gestes, sa voix, son sourire. Car elle souriait pour s'excuser de passer devant le visiteur.

« Vous ne savez pas ce que Ducrau venait faire ?

— Toujours la même chose ! »

Le malaise du commissaire croissait. Il en avait les mains moites. Chaque parole de la jeune femme pouvait avoir des conséquences dramatiques. A chaque question, le mystère devenait moins épais et pourtant Maigret avait peur de questionner. Se rendait-elle compte, seulement, de ce qu'elle lui disait ? Ne répondrait-elle pas oui à toutes les questions ?

« C'est du fils Ducrau que vous parlez ? murmura-t-il en guise d'épreuve.

— Jean n'est pas venu.

— C'est son père qui vous fait la cour ? »

Elle attacha un instant son regard au visage de Maigret, puis elle détourna la tête. Alors il voulut en finir. Il était trop près d'une révélation possible.

« Quand il vient ici, c'est pour cela, n'est-ce pas ? Il vous poursuit. Il essaie de... »

Il s'arrêta net, car elle pleurait et il ne savait plus que dire.

« Je vous demande pardon. Ne pensez plus à cela. » Elle était si près de lui qu'il lui tapota machinalement l'épaule. Et ce fut pis! Elle recula d'un bond, gagna la seconde cabine, dont elle referma la porte. Elle sanglotait toujours, de l'autre côté de la cloison. Et le bébé, qui avait perdu sa tétine, pleurait aussi. Maigret la lui rendit gauchement.

Il n'avait plus qu'à s'en aller. L'escalier était bas et il se heurta la tête au plafond de l'écoutille. Il s'attendait à trouver le vieux Gassin sur le pont, mais il n'y avait personne que les voisins qui, attablés près de leur gouvernail, le regardèrent s'en aller.

Sur le quai, pas de Gassin non plus. Quand il atteignit le trottoir, Maigret vit une auto s'arrêter devant la maison haute. C'était une auto quelconque, de force moyenne. Elle portait l'indicatif de Seine-et-Oise et le commissaire n'eut qu'à regarder la femme qui en sortait pour comprendre.

C'était la fille de Ducrau. Elle avait la rusticité et la vigueur de son père. Son mari, qui était en civil, les épaules étroites dans un complet sombre, refermait les portières et glissait la clef dans sa poche.

Mais ils avaient oublié quelque chose. La femme, déjà sur le seuil, se retourna. Le mari reprit la clef, ouvrit une porte et prit un petit

49

paquet qui devait contenir des raisins d'Espagne, comme ceux qu'on porte aux malades.

Le couple pénétrait enfin dans la maison en se disputant. Il était vulgaire et sans envergure.

Maigret, arrêté sous la plaque verte de l'arrêt des tramways, oublia de faire signe à celui qui passait. Il était plein de pensées inachevées et c'était en lui comme un léger déséquilibre auquel il avait hâte de mettre fin. Les pilotes sortaient du bistrot, se serraient la main avant de se quitter. L'un d'eux, un grand garçon à la mine ouverte, vint dans la direction de Maigret qui l'arrêta.

« Pardon. Je voudrais vous poser une question.

— Vous savez, moi, je n'étais pas là.

— Il ne s'agit pas de cela. Vous connaissez Gassin? De qui est l'enfant de sa fille? »

Le pilote éclata de rire.

« Mais ce n'est pas son enfant!

— Vous êtes sûr?

— C'est le vieux Gassin qui a ramené ça un beau jour. Il y a quinze ans qu'il est veuf. Il a dû avoir le gosse dans le Nord, de quelque bonne femme qui tient un cabaret ou une écluse.

— Et sa fille n'a jamais eu d'enfant?

— Aline? Vous ne l'avez pas regardée? A propos, allez-y doucement avec elle. Elle n'est pas tout à fait comme une autre. »

Des passants les frôlaient. Les deux hommes

étaient en plein dans le soleil, qui brûlait la nuque de Maigret.

« Ce sont des braves gens. Gassin boit un peu trop, mais il ne faudrait pas croire qu'il soit toujours comme aujourd'hui. L'histoire d'avant-hier lui a porté un coup. Ce matin, il croyait que vous alliez l'embêter. »

Le grand garçon sourit encore, toucha le bord de sa casquette et s'en alla. Maigret, lui aussi, devait déjeuner. Autour de lui, le mouvement changeait, le concasseur était arrêté, la circulation était moins intense et on eût dit que l'écluse elle-même ne fonctionnait qu'au ralenti...

Il reviendrait, évidemment. Il en avait sans doute pour plusieurs jours à vivre dans ce petit univers dont il commençait seulement à pressentir l'existence propre.

Est-ce que Gassin était rentré à bord ? Mangeait-il, attablé dans la cabine vernie, devant la nappe à petites fleurs roses ?

Chez les Ducrau, en tout cas, on devait se disputer et les raisins d'Espagne n'étaient pas faits pour remettre le bonhomme de bonne humeur.

Maigret rentra dans le bistrot, sans trop savoir pourquoi. La salle était vide. Le patron et sa femme, une petite brune assez jolie qui n'avait pas eu le temps de faire sa toilette, mangeaient du ragoût près du comptoir et le vin rouge avait un reflet dans les verres sans pied.

« Déjà revenu? » s'exclama Fernand en s'essuyant la bouche.

On l'avait adopté. Il n'avait même pas eu besoin de dire qui il était.

« Vous n'avez pas tourmenté la petite, au moins? Encore un demi? Irma, va chercher de la bière fraîche. »

Il regarda dehors, non du côté du port, mais vers le bistrot d'en face.

« Ce pauvre Gassin en fera une maladie. Il est vrai que ce n'est pas drôle de tomber à l'eau, la nuit, et de sentir tout à coup quelqu'un qui vous tire vers le fond.

— Il est rentré à son bord?

— Non. Il est là-bas. »

Et le patron désignait l'autre débit où, parmi quatre clients qui buvaient encore, on voyait Gassin gesticuler, complètement ivre.

« Il va comme ça de l'un à l'autre.

— On dirait qu'il pleure.

— Oui, il pleure. Il en est au moins à son quinzième apéritif depuis le matin, sans compter les petits rhums. »

La patronne apporta de la bière glacée que Maigret but à petites gorgées.

« Sa fille n'a pas d'aventures?

— Aline? Jamais de la vie! »

Et Fernand disait cela comme si l'idée qu'Aline eût pu avoir une aventure était la chose la plus saugrenue du monde. N'empêche que Maigret l'avait vue allaiter le bébé, le sien ou un autre, mais que ce n'en était pas moins une jeune maman qui, apeurée par son geste maternel, s'était enfermée dans la cabine du fond!

Il était troublé en pensant au vieux ivre mort qui pleurait dans son verre et au bébé dans son berceau.

« Ils voyagent beaucoup?

— Toute l'année.

— Ils n'ont pas de commis?

— Ils sont seuls. Aline tient la barre comme un homme. »

Maigret les avait vus, ces canaux du Nord aux rives droites et vertes, avec les peupliers dessinant la longue vallée d'eau plate et les écluses perdues dans la campagne, les manivelles rouillées, les bicoques ornées de roses trémières et les canards barbotant dans le remous des vannes.

Il imaginait *La Toison d'Or* grignotant le ruban d'eau, heure par heure, jour par jour, jusqu'à quelque quai de déchargement, Aline à la barre, le bébé dans son berceau, sur le pont sans doute, près du gouvernail, et le vieux à terre, derrière ses chevaux.

Un vieil ivrogne, une folle et un nourrisson...

4

QUAND, le lendemain à six heures du matin, Maigret descendit du tramway 13 et se dirigea vers l'écluse, Émile Ducrau était déjà debout sur le quai de déchargement, la casquette de marin sur la tête, une lourde canne à la main.

Comme les matins précédents, par la grâce du printemps, il y avait dans l'air, dans la vie matinale de Paris, une gaieté puérile. Certains objets, certaines gens, les bouteilles de lait devant les portes, la crémière en tablier blanc près de son étal, le camion semant, au retour des Halles, ses dernières feuilles de choux, étaient comme autant de symboles de quiétude et de joie de vivre.

N'en était-il pas de même à une fenêtre de la maison haute dont le soleil dorait la façade, de la bonne des Ducrau qui secouait ses chiffons dans le vide? Derrière elle, dans la pénombre du salon, on devinait Mme Ducrau qui allait et venait, un madras noué autour de la tête.

Au second étage, les persiennes restaient closes et on pouvait imaginer, rayé par le soleil, le lit de Rose, la molle maîtresse qui dormait les bras repliés, les aisselles humides.

Ducrau, lui, déjà installé de plain-pied dans la journée, lançait une dernière phrase au patron d'un bateau qui sortait de l'écluse et se glissait dans le courant de la Seine. Il avait vu Maigret. Il tira de sa poche une grosse montre en or.

« Je ne m'étais pas trompé. Vous êtes comme moi. »

Cela ne voulait-il pas dire que le commissaire, lui aussi, était de la trempe de ceux qui se lèvent tôt pour organiser le travail des autres ?

« Vous permettez un instant ? »

Il était si large qu'il paraissait presque carré. Il est vrai qu'il devait porter un pansement autour du torse. Pourtant il était vif et Maigret le vit sauter du mur de l'écluse sur le pont d'une péniche qui se trouvait à plus d'un mètre, en contrebas.

« Bonjour, Maurice. Tu as rencontré *L'Aigle IV* au-dessus de Chalifert ? Ont-ils reçu les joints ? »

Il n'écoutait guère. Dès qu'on lui avait répondu le nécessaire, il remerciait d'un grognement et s'adressait ailleurs.

« A propos de l'accident sous la voûte de Revin ? »

Assise sur le pont de *La Toison d'Or,* près du gouvernail, Aline était occupée à moudre du café en regardant mollement devant elle. A peine Maigret l'avait-il aperçue que Ducrau était devant lui, une courte pipe aux dents.

« Vous commencez à y comprendre quelque chose ? »

Son mouvement du menton précisait qu'il parlait du mouvement du port et de l'écluse et non de l'attentat. Il était beaucoup plus allègre que la veille, avec moins d'arrière-pensées.

« Vous voyez, l'eau forme une patte d'oie qui finit à la Seine. Ici, c'est le canal de la Marne. Plus loin, la Marne elle-même qui, à cet endroit, n'est pas naviguée. Enfin la Haute Seine. Par la Haute Seine, on gagne la Bourgogne, la Loire, Lyon, Marseille. Le Havre et Rouen commandent la Basse Seine. Deux sociétés se partagent le trafic : la *Générale* et la *Compagnie des Canaux du Centre*. Mais, à partir de cette écluse et jusqu'en Belgique, en Hollande, en Sarre, c'est Ducrau ! »

Il avait les yeux bleus, le teint clair dans le soleil levant qui rosissait le paysage.

« Le pâté de maisons, autour de la mienne, c'est à moi, y compris le bistrot, les pavillons et le petit bal ! Les trois grues là-bas et le concasseur aussi ! Et les chantiers de réparations qui sont au-delà de la passerelle. »

Il buvait, il respirait sa joie.

« On dit que le tout représente quarante millions, remarqua Maigret.

— Vous n'êtes pas trop mal renseigné, à cinq

millions près. Vos inspecteurs ont appris quelque chose, hier? »

De cette phrase-là aussi, il était ravi. En effet, Maigret avait chargé trois inspecteurs de prendre de menus renseignements, tant à Charenton qu'ailleurs, sur Ducrau, sur sa famille et sur chaque personne mêlée au drame.

Le butin était maigre. A la maison de tolérance de Charenton, on avait confirmé la présence de l'armateur le soir de l'attentat. Il y allait souvent. Il payait à boire, taquinait les femmes, racontait des histoires et s'en allait souvent sans en demander davantage.

De son fils Jean, les habitants du quartier ne savaient presque rien. Il étudiait. Il sortait peu. Il avait l'air d'un jeune homme de bonne famille et était d'une santé délicate.

« A propos, dit Maigret en désignant *La Toison d'Or,* c'est sur cette péniche, je crois, que votre fils a fait l'an dernier un séjour de trois mois? »

Ducrau ne tressaillit pas, mais peut-être devint-il un peu plus grave.

« Oui.

— Il relevait de maladie?

— Il était surmené. Le docteur recommandait le calme et le grand air. *La Toison d'Or* partait pour l'Alsace. »

Aline, avec son moulin à café, rentrait dans la cabine et Ducrau s'éloigna un instant pour donner des ordres au mécanicien de la grue sans que Maigret cessât d'entendre ce qu'ils disaient.

Sur la fille et le beau-fils, des informations banales. Le capitaine Decharme était fils d'un comptable du Mans. Le couple habitait une jolie maison neuve dans la banlieue de Versailles et chaque matin un planton amenait le cheval de l'officier, un autre faisait le ménage.

« Vous rentrez à Paris ? questionna Ducrau en revenant. Si le cœur vous en dit, c'est ma promenade de tous les matins, le long des quais. »

Il jeta un coup d'œil à sa maison. Les fenêtres à tabatière du sixième étage n'étaient pas encore ouvertes, ni les rideaux tirés. Les tramways étaient pleins et des petites charrettes chargées de légumes accouraient de Paris pour le marché.

« Je compte sur toi ? cria Ducrau à l'éclusier.

— Entendu, patron ! »

Et l'armateur adressa un clin d'œil à Maigret, pour souligner ce nom de patron qui lui était donné par un fonctionnaire.

Maintenant, ils déambulaient tous les deux le long de la Seine où des trains de bateaux se formaient, viraient de bord sur toute la largeur du fleuve, gravitaient à grands coups d'hélices vers l'amont ou vers l'aval.

« Savez-vous ce qui a fait ma fortune ? C'est l'idée que, quand mes remorqueurs étaient en chômage, ils pouvaient travailler pour moi. Alors j'ai acheté des carrières de sable et de craie, là-haut, puis tout ce qui se présentait, même des briqueteries, du moment que ce fût au bord de l'eau! »

Il serra au passage la main d'un marinier qui se contenta de murmurer :

« Bonjour, Mimile. »

Des barriques encombraient le port de Bercy et on apercevait les grilles de la ville du vin.

« Tout ce qui est champagne, là-dedans, c'est moi qui l'amène. Dis donc, Pierrot, c'est vrai que le chaudron de Murier a accroché une pile de pont à Château-Thierry?

— C'est vrai, patron.

— Si tu le vois, dis-lui que c'est bien fait pour lui! »

Il poursuivit sa route en riant. De l'autre côté du fleuve se profilaient, rectilignes, les immenses bâtiments en béton des Magasins Généraux et deux cargos, l'un de Londres, l'autre d'Amsterdam, apportaient en plein Paris une note maritime.

« Sans indiscrétion, comment allez-vous vous y prendre pour continuer votre enquête? »

Ce fut au tour de Maigret de sourire, car la balade n'avait sans doute pas d'autre but que d'amener cette question. Ducrau le comprit. Il sentit que son compagnon lisait sa pensée et il eut à son tour un léger sourire, comme pour se moquer de sa propre naïveté.

« Vous voyez, comme ceci! » répliqua le commissaire en accentuant son allure de promeneur béat.

Ils firent peut-être quatre cents mètres en silence, les yeux fixés sur le pont d'Austerlitz qui dressait ses ferrailles dans un véritable feu d'artifice où l'on devinait, noyée de bleu et de rose, l'architecture de Notre-Dame.

« Dis donc, Vachet! Ton frère est en panne à Lazincourt. Il te fait dire que le baptême est remis. »

Et Ducrau continuait sa route à pas réguliers. Après un regard oblique à Maigret, il questionna avec la brutalité d'un homme qui met exprès les pieds dans le plat :

« Qu'est-ce que ça gagne, un homme comme vous?

— Pas grand-chose.

— Soixante mille?

— Beaucoup moins. »

Ducrau fronça les sourcils, regarda à nouveau son compagnon et, cette fois, avec autant d'admiration que de curiosité.

« Que pensez-vous de ma femme? Est-ce que vous trouvez que je la rends malheureuse?

— Ma foi, non! Vous ou un autre! C'est une de ces créatures qui sont toujours effacées et tristes, quel que soit leur sort. »

Maigret eût pu marquer un point, car Ducrau en restait ahuri.

« Elle est morne, bête et vulgaire, soupira-t-il. Comme sa mère que je loge dans une des petites maisons voisines et qui a passé sa vie à pleurer! Tenez, voilà encore un concasseur qui m'appartient et qui est le plus puissant du port de Paris... En somme quelle piste suivez-vous ?

— Toutes. »

Ils marchaient toujours dans la rumeur du fleuve et de ses berges. L'air du matin sentait l'eau et le goudron. Parfois ils devaient contourner une grue, ou attendre que le passage soit libre entre deux camions.

« Vous êtes allé à bord de *La Toison d'Or ?* »

Ducrau avait hésité beaucoup plus longtemps que pour les autres questions et il feignit aussitôt d'être très préoccupé par la manœuvre d'un train de bateaux. La question, au surplus, était inutile puisque, de sa fenêtre, il avait vu Maigret monter sur la péniche. Aussi le commissaire se contenta-t-il de répondre :

« C'est une étrange petite maman. »

L'effet produit fut étonnant. Ducrau s'était arrêté net et, les jambes courtes, la nuque gonflée, il avait l'air d'un bœuf qui va foncer.

« Qui vous a dit cela ?

— Il n'était pas utile qu'on me le dise.

— Et alors ? dit-il pour dire quelque chose, les sourcils froncés, les mains derrière le dos.

— Alors rien.

— Que vous a-t-elle raconté ?

— Que vous aviez voulu lui rendre visite.

— C'est tout ?

— Qu'elle a refusé de vous ouvrir. Est-ce que vous ne m'aviez pas affirmé que le vieux

Gassin était votre bon camarade? Il me semble cependant, Ducrau... »

Mais celui-ci grommelait avec impatience :

« Imbécile! Et si je ne vous arrêtais pas, vous receviez cette barrique dans les jambes... »

Tourné vers l'homme d'équipe qui roulait les tonneaux, il hurla :

« Tu ne peux pas faire attention, idiot? »

En même temps il vidait sa pipe dont il frappait le fourneau sur son talon.

« Je parie que vous vous êtes mis dans la tête que l'enfant est de moi... Avouez-le! Du moment que j'ai la réputation d'un trousseur de filles! Eh bien, commissaire, cette fois-ci vous vous trompez. »

Il disait cela assez mollement, car il s'était opéré en lui un changement sensible. On le sentait moins dur, moins sûr de lui. Il avait perdu cet orgueil du propriétaire qui fait visiter son fief.

« Vous avez un gosse? questionna-t-il avec ce regard en coin que Maigret commençait à connaître.

— Je n'ai eu qu'une petite fille, qui est morte.

— Moi, j'en ai! Un instant! Je ne vous demande même pas de me promettre le silence car, si vous aviez le malheur de dire un mot, je vous casserais la gueule. J'ai d'abord les deux que vous connaissez, la fille qui est aussi lamentable que sa mère, puis le garçon. Pour lui, je ne sais pas encore, mais je ne le vois pas devenir quelque chose. Vous l'avez rencontré? Non? Gentil, timide, bien élevé, affectueux et mal portant! Voilà! Seulement, j'ai une autre fille. Vous avez parlé tout à l'heure de Gassin. C'est un bon type. N'empêche qu'il a eu une femme étonnante et que j'ai couché avec elle. Il n'en sait rien. S'il l'apprenait, il serait capable de tout, car il ne vient pas une seule fois à Paris sans aller porter des fleurs au cimetière. Après seize ans! »

Ils avaient franchi le pont des Tournelles et pénétraient dans l'île Saint-Louis toute baignée de paix provinciale. Un homme en casquette de marinier sortit d'un café à leur passage, courut après Ducrau. Maigret resta à l'écart tandis qu'ils échangeaient quelques phrases et pendant ce temps, il ne cessa d'avoir sur la rétine l'image d'une Aline plus irréelle que jamais.

Tout à l'heure, déjà, il avait évoqué *La Toison d'Or* glissant sur les canaux luisants, la fille blonde à la barre, le vieux derrière ses chevaux et, sur le pont, étendu dans un hamac, ou à même le bois brûlant et résineux, un convalescent trop studieux.

« Entendu pour dimanche en huit », cria la voix de Ducrau derrière lui.

Et il ajouta pour Maigret :

« Une petite fête qu'on organise à Nogent pour un de mes hommes qui a trente ans de service sur le même bateau. »

Il avait chaud. Ils marchaient depuis plus d'une heure. Des vendeurs levaient les volets des boutiques et des dactylos en retard couraient sur les trottoirs.

Ducrau ne disait plus rien. Il attendait peut-être que Maigret reprît la conversation où ils l'avaient laissée, mais le commissaire paraissait rêver.

« Je vous demande pardon de vous emmener si loin. Vous connaissez le tabac Henri-IV, au milieu du Pont-Neuf? Ce n'est pas loin de la Police judiciaire. Je parie pourtant que vous ne vous êtes jamais aperçu que ce n'est pas un café comme un autre. Nous nous y retrouvons tous les jours à cinq ou six, parfois plus. C'est une sorte de bourse des affréteurs.

— Aline a toujours été folle ?

— Elle n'est pas folle. Ou vous l'avez mal vue, ou vous n'y connaissez rien. C'est plutôt une sorte de retard dans la formation. Oui, le médecin me l'a très bien expliqué. A dix-neuf ans, elle a, si vous voulez, une mentalité de fillette de dix ans. Mais elle peut rattraper le temps perdu. On l'a même espéré à l'occasion de... ses couches... »

Il avait prononcé le mot très bas, honteusement.

« Elle sait que vous êtes son père ? »

Il sursauta, tout rouge.

« Surtout, ne lui dites jamais ça! D'abord elle ne le croirait pas. Ensuite, il ne faut à aucun prix, vous entendez, à aucun prix, que Gassin s'en doute ! »

A cette heure, s'il était aussi matinal que la veille, le vieux marinier devait déjà être ivre, dans l'un ou l'autre des bistrots.

« Vous croyez qu'il n'a pas de soupçons ?

— J'en suis sûr.

— Et personne ?...

— Personne n'a jamais rien su, que moi.

— C'est pour cela que *La Toison d'Or* reste plus longtemps en chargement ou en déchargement que les autres bateaux ? »

C'était si évident que Ducrau haussa les épaules puis, changeant de ton et de visage :

« Un cigare ? Ne parlons plus de ça, voulez-vous ?

— Et si c'était à la base du drame ?

— C'est faux ! »

Il était catégorique, presque menaçant.

« Entrez avec moi. Je n'en ai que pour deux minutes. » Ils avaient atteint le tabac Henri-IV où les clients accoudés au comptoir de zinc étaient de simples mariniers. Mais il y avait une autre pièce séparée par une cloison, et là Ducrau serra la main de quelques consommateurs, sans leur présenter Maigret.

« C'est vrai que quelqu'un a accepté les charbons de Charleroi à cinquante-deux francs ?

— Un Belge, qui a trois moteurs.

— Garçon ! Une fillette de blanc. Vous prendrez du blanc ? »

65

Maigret acquiesça et fuma sa pipe en regardant les allées et venues sur le Pont-Neuf et en n'écoutant que d'une oreille distraite la conversation qui se poursuivait.

Il fut quelque temps à s'apercevoir qu'il y avait dans l'air une rumeur anormale et plus longtemps encore à se rendre compte que c'était la sirène d'un bateau. Elle ne lançait pas deux ou trois appels comme c'est l'habitude au passage des ponts, mais elle émettait un son si prolongé que des passants s'arrêtaient, aussi étonnés que le commissaire.

Le patron du tabac, le premier, leva la tête. Deux mariniers le suivirent jusqu'au seuil où Maigret s'était campé.

Une péniche à moteur Diesel, qui descendait le courant, ralentissait en vue des arches du Pont-Neuf, battait même en arrière pour casser son erre. La sirène marchait toujours et, tandis que la femme prenait la barre, un homme sautait dans le canot qu'il poussait vers la rive en godillant.

« C'est François! » dit un marinier.

Ils marchèrent tous jusqu'au quai où ils étaient debout au-dessus du mur de pierre quand le bateau accosta. La femme, au gouvernail, avait de la peine à maintenir le long bateau en ligne droite.

« Le patron est là?

— Il est au café.

— Faudrait lui dire, doucement, je ne sais

pas, moi, mais enfin pas trop vite, que son fils...

— Hein?...

— ... On vient de le trouver mort... C'est toute une histoire, là-bas... Il paraît qu'il s'est... »

Un geste sinistre de la main vers la gorge. L'homme n'avait pas besoin d'achever. D'ailleurs, un remorqueur montant sifflait parce que la péniche était en travers de sa route et le marinier se hâta de repousser son bachot.

Quelques personnes qui s'étaient arrêtées sur le pont repartaient déjà mais, sur le quai, ils étaient trois à se regarder, ahuris, gênés. La gêne s'accrut quand on vit Ducrau sur le seuil du tabac Henri-IV, d'où il essayait de deviner ce qui se passait.

« C'est pour moi? »

Il avait tellement l'habitude que ce fût pour lui! N'était-il pas un des cinq ou six personnages à régner sur le monde de l'eau?

Maigret préférait laisser faire les hommes qui hésitèrent, se poussèrent du coude jusqu'à ce que l'un d'eux, éperdu, bafouillât :

« Patron, il faudrait que vous remontiez tout de suite là-haut. Il y a... »

L'autre regarda Maigret, sourcils froncés.

« Il y a quoi?

— C'est chez vous...

— Eh bien quoi, chez moi? »

Il se fâchait. Il semblait les soupçonner tous de quelque chose.

« M. Jean...

— Mais parle, idiot !

— Il est mort. »

C'était sur le seuil, en plein Pont-Neuf, en plein soleil, avec encore les verres de vin doré sur le comptoir et le patron à la chemise troussée sur les avant-bras, et l'étalage multicolore des paquets de cigarettes.

Ducrau promena autour de lui un regard si vide qu'on put croire qu'il n'avait pas compris. Sa poitrine se gonfla, mais il n'en sortit qu'un ricanement.

« Ce n'est pas vrai, dit-il en même temps que de l'eau envahissait ses paupières.

— C'est François qui est avalant, qui s'est arrêté pour dire... »

Il était énorme, ce petit homme, et si large, si solide que personne n'eût osé lui offrir sa pitié. Pourtant il tourna vers Maigret des prunelles de détresse, renifla, lança à ses compagnons de tout à l'heure :

« Je fais l'affaire à quarante-huit ! »

Mais tout en disant cela, en prenant Maigret à témoin de sa rudesse, il avait sur le visage un pauvre orgueil enfantin. Du bras, il arrêta un taxi rouge. Il n'invita même pas le commissaire à monter avec lui, tant il considérait la chose comme naturelle. Et tout naturel aussi de ne pas parler !

« A l'écluse de Charenton. »

On remontait le cours de la Seine dont, une

heure plus tôt, il racontait la vie bateau par bateau, anneau d'amarrage par anneau d'amarrage. Il la regardait encore, mais sans la voir et l'on atteignait déjà les grilles de Bercy quand il éclata :

« Sale petit crétin! »

La dernière syllabe ne sortit pas. Il y avait un sanglot dans la gorge et Ducrau l'y garda, étouffant jusqu'au seuil de sa maison.

Le port était changé. Les gens avaient reconnu le patron à travers les vitres du taxi. L'éclusier lâcha sa manivelle pour retirer sa casquette. Sur le quai, des ouvriers étaient debout, comme si la vie eût été suspendue. Un contremaître attendait, sur le seuil.

« C'est toi qui as arrêté le concasseur?

— J'ai cru... »

Ducrau s'engagea le premier dans l'escalier. Maigret le suivait. Ils entendaient des pas, des voix beaucoup plus haut. Une porte s'ouvrit au premier et Jeanne Ducrau se jeta dans les bras de son mari. Elle était toute molle. Il la redressa, chercha un appui pour elle, la posa comme un colis entre les bras d'une grosse voisine qui reniflait.

Il montait toujours. Chose étrange, il se retourna pour s'assurer que Maigret était encore là. Entre le troisième et le quatrième étage, on croisa le commissaire de police qui descendait et qui, le chapeau à la main, commença :

« Monsieur Ducrau, je vous présente...

— Merde ! »

Il l'écarta de sa route, monta toujours.

« Commissaire, je...

— Tout à l'heure, grommela Maigret.

— Il a laissé une lettre que...

— Donnez ! »

Il la prit littéralement au vol et la poussa dans sa poche. Une seule chose comptait vraiment : cet homme qui montait, la respiration rauque, et s'arrêta devant une porte à bouton de cuivre qu'on lui ouvrit aussitôt.

La chambre était mansardée. La lumière tombait de haut et c'était, parmi les rayons de soleil, un fourmillement de fine poussière. Il y avait une table avec des livres, un fauteuil recouvert du même velours rouge que celui d'en bas.

Le docteur, à la table, signait un premier constat et il arriva trop tard pour empêcher l'armateur d'arracher le drap qui recouvrait le corps de son fils.

Il n'y eut pas un mot, rien. Ducrau semblait surtout étonné, comme devant un spectacle inexplicable. Et c'était bien inexplicable, d'une étrange désolation, ce grand garçon maigre, dont la poitrine trop blanche apparaissait dans l'échancrure du pyjama de toile bleue à fines rayures. Au cou, il y avait un large cerne bleu. Les traits étaient ignoblement convulsés.

Ducrau s'avança, peut-être pour embrasser le mort, mais il ne le fit pas. On eût dit qu'il en avait peur. Il détourna le regard, chercha au plafond, puis à côté de la porte.

« A la lucarne », dit le médecin à voix basse.

Il s'était pendu, au petit jour, et c'était la bonne de ses parents, qui avait l'habitude de lui apporter son petit déjeuner, qui l'avait découvert.

Au même instant, Ducrau faisait preuve d'une présence d'esprit déroutante en s'adressant à Maigret, pour dire :

« La lettre! »

Il avait donc tout vu, tout entendu pendant cette terrible ascension de l'escalier!

Le commissaire la sortit de sa poche et son compagnon la lui prit des mains, la lut d'un seul coup d'œil, laissa retomber les bras avec lassitude.

« Peut-on être bête à ce point-là! »

C'était tout. Et c'était bien sa pensée. Cela jaillissait du fond du cœur, plus tragique que de longues phrases.

« Mais lisez donc! »

Il s'emportait maintenant contre Maigret qui ne ramassait pas assez vite le billet tombé par terre.

C'est moi qui ai attaqué mon père et je me fais justice. Pardon à tous. Que maman ne soit pas désespérée.

JEAN.

Pour la seconde fois, Ducrau fut pris d'un rire étouffant.

« Vous imaginez ça ? »

Il n'avait pas protesté quand le docteur avait recouvert à nouveau le corps et il ne savait plus s'il devait rester là, descendre, s'asseoir ou marcher.

« Ce n'est pas vrai ! » dit-il encore.

Il mit enfin sa main sur l'épaule de Maigret, une grosse main lourde et lasse.

« J'ai soif ! »

Il avait les pommettes violacées, le front ruisselant de sueur, les cheveux collés aux tempes. Il est vrai que l'odeur de l'éther, qu'on avait employé pour quelque femme évanouie, emplissait la mansarde.

5

C'EST un peu avant neuf heures, le lendemain, que Maigret arriva à la Police judiciaire et
que le garçon de bureau lui annonça qu'on
l'avait déjà demandé au téléphone.

« On n'a pas dit de nom, mais on va
rappeler. »

Au-dessus du tas de courrier, il y avait une
note de service :

*L'aide éclusier de Charenton a été trouvé ce
matin pendu à la porte de l'écluse.*

Maigret n'eut pas le temps de s'étonner. La
sonnerie du téléphone retentissait. Il décrocha,
bougon, et il fut assez surpris en reconnaissant
la voix de celui qui parlait à l'autre bout du fil,
simplement, avec déférence, avec même une
pointe de timidité inattendue.

« Allô! c'est vous, commissaire? Ici, Ducrau.
Est-ce que vous accepteriez de venir me voir
tout de suite? Je me dérangerais bien, mais ce

ne serait pas la même chose. Allô! Je ne suis pas
à Charenton. Je suis au bureau, 33, quai des
Célestins. Vous venez? Merci! »

Tous les matins, depuis dix jours, il y avait ce
même soleil à l'arrière-goût acide de groseilles
vertes. Le long de la Seine plus qu'ailleurs, on
sentait le printemps et quand Maigret arriva
quai des Célestins il regarda avec envie un
étudiant et quelques vieux messieurs qui fouil-
laient dans les boîtes poussiéreuses des bouqui-
nistes.

Le 33 était une maison de deux étages, déjà
vieille, dont la porte était ornée de plusieurs
plaques de cuivre. A l'intérieur régnait l'atmosphère caractéristique des petits hôtels particu-
liers qu'on a transformés en bureaux. Il y avait
des indications sur les portes : *Caisse — Secré-
tariat,* etc. En face du commissaire, un escalier
conduisait au premier étage et c'est au bout de
cet escalier que Ducrau parut, tandis que
Maigret cherchait quelqu'un à qui parler.

« Voulez-vous venir par ici? »

Il reçut le visiteur dans un salon devenu
bureau, mais qui avait gardé son plafond
ouvragé, ses trumeaux et ses dorures, le tout
passé, vieillot, jurant avec les meubles de bois
clair.

« Vous avez lu les plaques de cuivre? questionna Ducrau en désignant un siège. En bas,
c'est la Société des Carrières de la Marne. Ici,
les affaires de remorquage et, au second, les

transports fluviaux. Ce qui veut dire Ducrau! »

Mais il disait cela sans orgueil, comme si ces renseignements eussent eu leur importance. Il s'était assis le dos à la lumière et Maigret remarqua qu'il y avait un brassard de crêpe à son veston de gros drap bleu. Il n'était pas rasé et sa chair en paraissait plus molle.

Il resta un moment sans rien dire, à jouer avec sa pipe éteinte et c'est à ce moment que Maigret comprit qu'il y avait bien deux Ducrau : celui qui paradait, même vis-à-vis de lui-même, parlait fort, se gonflait en une interminable partie théâtrale, et l'autre, qui oubliait soudain de se regarder vivre et qui n'était plus qu'un homme assez timide et maladroit.

Mais il devait se résigner difficilement à être ce Ducrau-là! C'était une nécessité pour lui d'être un cran au-dessus de la simple réalité, et déjà ses yeux avaient ce pétillement qui annonçait une nouvelle parade.

« Je viens ici le plus rarement possible, car il y a assez de crabes pour faire la besogne qu'on y fait. Ce matin, je ne savais où me réfugier. »

Il en voulut à Maigret de son silence, de sa passivité car, pour jouer sa partie, il avait besoin de répliques.

« Savez-vous où j'ai passé la nuit? Dans un hôtel de la rue de Rivoli! Car, bien entendu, ils se sont abattus tous sur la maison, la vieille mère de ma femme, ma fille, son idiot, et des voisins par surcroît! Ils ont organisé un vrai carnaval funéraire et j'ai préféré fiche le camp! »

Il était sincère, mais il était quand même content du mot carnaval.

« J'ai traîné partout, à me dégoûter moi-même. Ça ne vous prend jamais, à vous, ce dégoût-là? »

Et, sans transition, il saisit sur la table un journal vieux de plusieurs jours, se leva, se campa à côté de Maigret et lui mit la feuille sous les yeux, en soulignant de l'ongle un articulet.

« Vous avez lu? »

Nous apprenons que le commissaire divisionnaire Maigret, de la Police judiciaire, bien qu'encore loin de la limite d'âge, a demandé et obtenu sa mise à la retraite. Il quittera son poste la semaine prochaine et sera vraisemblablement remplacé par le commissaire Ledent.

« Eh bien? s'étonna Maigret.

— Cela vous fait encore combien de jours? Six, n'est-ce pas? »

Il ne s'assit plus. Il avait besoin de marcher. Il allait et venait, tantôt à contre-jour, tantôt face à la fenêtre, les doigts aux entournures du gilet.

« Je vous ai demandé, hier, combien l'administration vous donne, vous vous en souvenez? Or, aujourd'hui, je veux vous dire ceci : je vous connais mieux que vous ne le croyez; dès la semaine prochaine, je vous offre cent mille francs par an pour entrer chez moi! Attendez avant de répondre. »

D'un geste impatient il ouvrit une porte, fit signe au commissaire de le rejoindre près de celle-ci. Dans un bureau clair, un homme d'une trentaine d'années, déjà un peu chauve, était assis devant une pile de dossiers, un long fume-cigarettes au bec, cependant qu'une dactylo attendait la dictée.

« Le directeur du remorquage », annonça Ducrau, tandis que le personnage se levait précipitamment.

Et l'armateur ajouta :

« Ne vous dérangez pas, monsieur Jaspar! (il appuyait sur le « monsieur »). A propos, répétez-moi donc ce que vous faites chaque soir. Car vous êtes champion de quelque chose, si je me souviens bien.

— De mots croisés.

— C'est cela! Parfait! Vous entendez, commissaire? M. Jaspar, directeur, à trente-deux ans, du service de remorquage, est champion de mots croisés! »

Il avait détaché toutes les syllabes et, sur la dernière, il referma la porte d'un geste brutal, après quoi, il resta campé devant Maigret, à le regarder dans les yeux.

« Vous avez vu ce navet? Il y en a d'autres en bas et au second, tous bien habillés, honnêtes, ce qu'on appelle travailleurs. Remarquez qu'à l'instant même M. Jaspar se demande avec angoisse ce qu'il a pu faire pour me déplaire. La dactylo va raconter l'incident dans toute la maison et ils en ont pour dix jours à le sucer comme un bonbon. Parce que je leur donne le titre de directeur, ils s'imaginent de bonne foi qu'ils dirigent quelque chose ! Un cigare ? »

Il y avait une caisse de havanes sur la cheminée, mais le commissaire préféra bourrer sa pipe.

« A vous, je n'offre aucun titre. Vous commencez à avoir une idée de mon affaire. Les transports d'une part, le remorquage, puis les carrières et le reste. Or le reste est extensible à volonté. Je fais une note à mes services pour qu'on vous fiche la paix. Vous allez et vous venez à votre guise. Vous fourrez votre nez partout. »

Une fois encore, Maigret évoqua pendant quelques secondes les longs canaux bordés d'arbres, les commères en chapeau de paille noire et les wagonnets des carrières accourant vers les péniches. Ducrau avait pressé un timbre et une dactylo entrait bientôt, son carnet de sténographie à la main.

« Prenez note :

Entre les soussignés Émile Ducrau et Maigret... Prénom ?... et Maigret (Joseph), il a été convenu ce qui suit. A partir du 18 mars, M. Joseph Maigret entre au service de...

Il regarda son compagnon, fronça les sourcils, lança à la secrétaire :

« Pouvez filer ! »

Et il tourna en rond dans la pièce, les mains derrière le dos cette fois, avec des coups d'œil inquiets à son compagnon. Celui-ci, cependant, n'avait rien dit.

« Alors ? articula-t-il enfin.

— Rien.

— Cent cinquante mille ? Non ! Ce n'est pas cela. »

Il ouvrit la fenêtre, livrant la pièce aux rumeurs de la ville. Il avait chaud. Il lança son cigare dans le vide.

« Pourquoi quittez-vous la police ? »

Maigret souriait en fumant sa pipe.

« Avouez que vous n'êtes pas un homme à rester sans rien faire. »

Il enrageait, humilié, impatient, et pourtant les regards qu'il lançait à Maigret étaient pleins de respect et de bienveillance.

« Ce n'est pas non plus une question d'argent. »

Alors le commissaire regarda la porte du bureau voisin, le plafond, le plancher, murmura doucement :

« Peut-être les mêmes raisons que les vôtres ?

— Il y a de pareils crabes chez vous aussi ?

— Je n'ai pas dit cela ! »

Le commissaire était de bonne humeur, ou plutôt il était pleinement lui-même. Il se sentait en train. C'était comme un état de réceptivité aiguë, qui lui permettait de penser en même temps que son interlocuteur, parfois avant celui-ci.

Ducrau ne se résignait pas à battre en retraite, mais il perdait confiance, mollissait tandis qu'on lisait l'effort sur son visage.

« Je parie que vous croyez faire votre devoir », grommela-t-il méchamment.

Et, avec un renouveau d'énergie :

« J'ai l'air de vous acheter, c'est entendu. Mais supposons que je vous pose la même question dans huit jours ? »

Maigret secoua la tête et Ducrau l'aurait secoué volontiers, rageusement, affectueusement. La sonnerie du téléphone fonctionna.

« Oui, c'est moi. Et puis après ? Les pompes funèbres ? Je m'en fous, des pompes funèbres. Si on m'embête encore, je n'irai pas à l'enterrement. »

Ce qui ne l'empêchait pas d'être pâle.

« Quels chichis ridicules ! soupira-t-il les narines pincées, après avoir raccroché. Ils sont tous autour du petit qui, s'il le pouvait, les mettrait à la porte. Vous ne devineriez jamais où je suis allé cette nuit. Si je le disais, on me traiterait de monstre. Et pourtant, c'est dans une maison close que j'ai pu enfin pleurer comme un veau, au milieu des femelles qui me croyaient soûl et qui barbotaient dans mon portefeuille. »

Il n'avait plus besoin de rester debout. C'était fini. Il s'assit, se frotta la tête à rebrousse-poil, mit ses coudes sur le bureau. Il essayait de retrouver le fil de ses idées et le regard qu'il laissait peser sur Maigret semblait ne pas le voir. Le commissaire lui laissa encore un court répit, murmura enfin :

« Vous savez qu'il y a un nouveau pendu à Charenton ? »

Ducrau leva de lourdes paupières et attendit la suite.

« Un homme que vous devez connaître, puisque c'est un des aides de l'éclusier...

— Bébert ?

— Je ne sais pas si c'est Bébert, mais on l'a trouvé ce matin pendu à la porte amont de l'écluse. »

Ducrau soupira comme un homme fatigué.

« Vous n'avez rien à déclarer à ce sujet ? »

L'autre haussa les épaules.

« On pourra vous demander de préciser où vous avez passé la nuit. »

Cette fois, un sourire flotta sur les lèvres de l'armateur qui faillit parler. Mais il se ravisa à la dernière seconde et haussa à nouveau les épaules.

« Vous êtes sûr que vous n'avez rien à me dire ?

— Nous sommes quel jour ?

— Jeudi.

81

— Quel jour de la semaine prochaine quittez-vous le service?

— Mercredi.

— Encore une question : en supposant qu'à ce moment-là votre enquête ne soit pas terminée, qu'arrivera-t-il?

— Je passerai le dossier à un collègue qui prendra la suite... »

Le sourire s'accentua sur les lèvres de Ducrau, qui souffla avec une joie presque enfantine :

« Un crabe? »

Maigret ne put s'empêcher de sourire aussi.

« Il n'y a pas que des crabes. »

Ils devaient rester sur cette note de gaieté inattendue. Ducrau se levait, sa grosse patte offerte.

« Au revoir, commissaire. Je vous verrai sans doute encore d'ici là. »

Maigret, qui lui serrait la main, plongea son regard dans les yeux clairs de son compagnon, mais il ne parvint pas à faire fondre son sourire, à peine à le rendre — peut-être? — un peu moins consistant.

« Au revoir. »

Ducrau le reconduisit jusqu'au palier, se pencha même sur la rampe. Quand Maigret se trouva plongé dans l'éblouissement tiède des quais, il sentit que, de la fenêtre, on le suivait encore des yeux.

Et ce fut son propre sourire qui se dilua tandis qu'il attendait un tramway.

★[★]★

C'était une idée de la concierge, qui avait cru bien faire : tous les locataires de la maison avaient fermé leurs persiennes en signe de deuil. Quant aux bateaux amarrés dans le port, ils avaient leur pavillon en berne, ce qui donnait un aspect morbide au canal.

Le mouvement lui-même était équivoque. Des curieux traînaient un peu partout, surtout sur les murs de l'écluse et, gênés, finissaient par demander à quelqu'un en montrant un des crochets :

« C'était là? »

Le corps était déjà à l'Institut médico-légal, un long corps osseux que les familiers de la Marne connaissaient depuis longtemps.

Bébert, venu on ne savait d'où et qui n'avait pas de famille, s'était arrangé un coin à lui sur une drague des Ponts et Chaussées qui, depuis dix ans, rouillait dans un coin du port.

Il attrapait au vol l'amarre des bateaux; il tournait les vannes et les portes; il rendait de menus services et ramassait des pourboires. C'était tout.

L'éclusier circulait dans son domaine avec un air important, car trois journalistes l'avaient interrogé le matin même et l'un d'eux l'avait photographié.

Quant à Maigret, dès sa descente de tramway, il entra dans le bistrot de Fernand, où il y avait plus de monde que d'habitude. On chuchota. Ceux qui le connaissaient apprenaient aux autres sa qualité. Le patron s'approcha, familier.

« Un demi bien tiré ? »

D'un coup d'œil, il désigna le coin opposé de la pièce. Le vieux Gassin était là, tout seul, hargneux comme un chien malade, les yeux plus bordés de rouge que jamais. Il regardait Maigret et il ne détourna pas les yeux mais, au contraire, il esquissa une grimace qui voulait exprimer son dégoût.

Le commissaire, cependant, avalait une grande gorgée de bière fraîche, s'essuyait les lèvres et bourrait une nouvelle pipe. Dans le cadre de la fenêtre, derrière Gassin, il apercevait les bateaux serrés les uns contre les autres et il était un peu déçu de ne pas voir la silhouette d'Aline.

Le patron se pencha encore, fit mine d'essuyer la table pour se donner le temps de murmurer :

« Vous devriez faire quelque chose pour lui. Il ne reprend même plus conscience. Les bouts de papier que vous voyez par terre, c'est l'ordre d'aller charger quai des Tournelles. Vous voyez ce qu'il en fait ! »

Le vieux savait fort bien qu'on parlait de lui et il se leva mal d'aplomb sur ses jambes, s'approcha de Maigret qu'il regarda dans les yeux d'un air de défi, s'en alla enfin en bousculant le patron du coude.

On le vit hésiter sur le seuil. Un instant, on put croire qu'il allait s'élancer sur la chaussée sans voir un autocar qui arrivait. Mais il oscilla et piqua sur le bistrot d'en face, tandis que tous les consommateurs se regardaient.

« Qu'en dites-vous, monsieur le commissaire? »

La conversation devenait générale. On s'adressait à Maigret comme à une vieille connaissance.

« Avec ça, remarquez que le vieux Gassin est le plus honnête homme de la terre. Mais on dirait qu'il lui reste quelque chose de l'histoire de l'autre nuit, et je finis par me demander s'il s'en remettra. Que pensez-vous de Bébert? C'est la série, quoi? »

Ils étaient cordiaux et familiers. Ils ne prenaient pas trop l'événement au tragique, mais ils riaient quand même avec une pointe de nervosité.

Maigret hochait la tête, répondait par des sourires, par des grognements.

« C'est vrai que le patron ne veut pas venir à l'enterrement? »

Ainsi, la nouvelle en était déjà parvenue au bistrot! Il n'y avait pas une heure que la conversation téléphonique avait eu lieu!

« Il a pourtant la tête solide, lui! Et une

85

fameuse tête! Quant à Bébert, vous savez qu'on l'a vu hier au cinéma Gallia? Ça doit être après qu'on l'a attaqué, au moment où il remontait sur sa drague.

— J'étais au cinéma aussi, intervint quelqu'un.

— Tu l'as vu?

— Je ne l'ai pas vu, mais j'y étais.

— Alors, qu'est-ce que cela peut nous faire?

— Cela veut dire que j'y étais! »

Maigret se leva en souriant, paya et adressa à la ronde un signe de la main. Il avait chargé deux inspecteurs de prendre toutes les indications précises et, de l'autre côté de l'eau, il pouvait apercevoir l'un d'eux, Lucas, qui arpentait la drague des Ponts et Chaussées.

Il passa devant la maison de Ducrau. Depuis le matin et peut-être depuis la veille au soir, l'auto des Decharme était au bord du trottoir. Il aurait pu entrer, mais à quoi bon? Il imaginait si bien ce que Ducrau avait appelé « leur carnaval »!

Il flânait. Il ne savait rien. Il ne réfléchissait pas, mais il sentait que quelque chose prenait corps qu'il ne fallait pas s'obstiner à préciser trop vite.

Il se retourna en entendant héler un taxi. C'était la concierge, et quelques instants plus tard une grosse fille vêtue de soie noire, les yeux rouges, s'y jeta nerveusement tandis que la concierge entassait des bagages sur la banquette.

C'etait Rose, évidemment! Comment ne pas sourire? Et ne pas sourire encore quand la concierge, à l'approche de Maigret, prit un air pincé.

« C'est la dame du second?

— Et vous, qui êtes-vous?

— Le commissaire de la Police judiciaire.

— Dans ce cas, vous le savez aussi bien que moi.

— C'est le beau-fils qui lui a demandé de partir?

— En tout cas, ce n'est pas moi et ça les regarde! »

C'était si clair! La famille en deuil, là-haut, chuchotant pendant des heures pour savoir s'il était décent ou non de laisser cette créature dans la maison en des circonstances aussi solennelles. Et le capitaine, sans doute, envoyé en délégation auprès d'elle pour lui signifier la décision du conseil de famille!

C'est par hasard que Maigret s'arrêta devant le mot *Bal* écrit en blanc sur une grande tôle bleue. Devant la porte en retrait, il y avait des plantes grimpantes qui mettaient une note fraîche de guinguette. A l'intérieur, il faisait sombre et frais, par contraste avec le trottoir éblouissant, et les enjolivures en métal du piano mécanique scintillaient comme des bijoux véritables.

Il y avait quelques tables, des bancs, puis un espace vide et, sur un mur, une vieille toile de fond qui avait dû servir jadis dans un théâtre.

« Qui est là? cria-t-on du haut de l'escalier.

— Quelqu'un. »

On acheva de se laver, car un robinet coulait et des gouttes d'eau éclaboussaient un évier. Une femme descendit, en pantoufles, en peignoir et murmura :

« Ah! c'est vous. »

Elle aussi, comme tout Charenton, connaissait déjà Maigret. Elle avait été jolie. Un peu épaissie, amollie par cette vie de serre chaude, elle gardait un certain charme fait de nonchalance et de sérénité.

« Vous voulez boire quelque chose?

— Servez-nous à tous deux un apéritif quelconque. »

Elle but de la gentiane. Elle avait une façon bien à elle de poser ses deux coudes rapprochés sur la table et alors les seins, pressés l'un contre l'autre, jaillissaient à demi du peignoir.

« Je me doutais bien que vous viendriez. A votre santé! »

Elle n'avait pas peur. La police ne l'impressionnait pas.

« C'est vrai, ce qu'on raconte?

— A quel propos?

— Au sujet de Bébert. Bon! j'en dis trop. Tant pis! Sans compter qu'il n'y a rien de moins sûr. On dit que c'est le vieux Gassin...

— ... qui a fait le coup? »

— Il en parle en tout cas comme s'il savait. Encore un verre?

— Et Ducrau?

— Quoi?

— Il n'est pas venu hier?

— Il vient souvent me tenir compagnie. On est de vieux copains, bien que maintenant ce soit un homme riche. Il n'est pas fier. Il s'assied là, à votre place. On prend un verre tous les deux. De temps en temps il me demande de mettre cinq sous pour la musique.

— Il est venu hier?

— Oui. Il n'y a bal que le samedi et le dimanche, quelquefois le lundi. Les autres jours, je ne ferme pas, par habitude, mais je suis pour ainsi dire toute seule. Du temps de mon mari, c'était différent, parce qu'on faisait le restaurant.

— A quelle heure est-il parti?

— Vous avez cette idée-là? Vous avez tort, laissez-moi vous le dire. Je le connais. Il me caressait déjà à l'occasion quand il n'avait que son petit remorqueur. Et jamais, je ne sais pas pourquoi, il n'a essayé d'en faire davantage avec moi. Pourtant d'habitude!... Vous le savez aussi bien que moi! Hier, il était triste...

— Il a bu?

— Deux ou trois verres et cela ne lui fait rien, à lui. Il me disait :

« — Si tu savais, Marthe, ce que ces crabes me dégoûtent! Je crois bien que je vais traîner toute la nuit dans les bobinards. Quand je pense qu'ils sont tous là autour du petit... »

Maigret ne sourit pas, cette fois, en retrouvant les fameux « crabes ». Il regarda autour de lui le décor miteux, les tables, les bancs, la toile de fond, puis la brave femme qui finissait sa seconde gentiane à petites gorgées.

« Vous ne savez pas à quelle heure il est parti?

— Peut-être minuit? Peut-être moins? Avouez que c'est quand même malheureux d'avoir tant d'argent et de n'être pas heureux! »

Maigret ne sourit pas davantage.

6

« LE plus curieux, conclut Maigret, c'est que je suis persuadé que l'histoire est toute simple. »

C'était chez le chef de la P.J. à l'heure où les bureaux sont vides. Un soleil pourpre se couchait sur Paris et la perspective de la Seine enjambée par le Pont-Neuf était barbouillée de rouge, de bleu et d'ocre. Les deux hommes, debout devant une fenêtre, bavardaient à bâtons rompus, distraits par la molle flânerie des passants.

« Quant à mon bonhomme... »

Sonnerie de téléphone. Le chef décrocha.

« Bonjour, madame. Vous allez bien ? Je vous le passe. »

C'était Mme Maigret, un peu affolée.

« Tu as oublié de me téléphoner. Mais si, il avait été convenu que tu me téléphonerais à quatre heures. Les meubles sont arrivés là-bas et il faut que je parte. Tu peux venir tout de suite ? »

Avant de prendre congé, le commissaire expliqua au chef :

« J'avais oublié mon déménagement. Les meubles sont partis hier en tapissière. Or, ma femme doit être à la campagne pour les recevoir. »

Le directeur de la Police judiciaire haussa les épaules et Maigret, qui s'en aperçut, s'arrêta sur le seuil.

« Que voulez-vous dire, patron ?

— Que vous ferez comme les autres, c'est-à-dire qu'avant un an vous aurez repris du service, mais cette fois pour une banque ou une compagnie d'assurances. »

Il y avait de la mélancolie, ce soir-là, dans le bureau envahi par le crépuscule, une mélancolie très fluide que les deux hommes feignirent d'ignorer.

« Je vous jure que non.

— A demain. Pas de gaffe avec Ducrau, surtout, car il doit avoir deux ou trois députés dans sa manche. »

Maigret prit un taxi et arriva quelques minutes plus tard dans son appartement du boulevard Edgar-Quinet. Sa femme était affairée. Deux pièces étaient vides et dans les autres des paquets s'entassaient sur les meubles. Quelque chose cuisait, non sur le fourneau qui était déjà expédié, mais sur un réchaud à alcool.

« Tu ne peux vraiment pas venir avec moi ?

Tu reprendrais le train demain soir. C'est pour décider de la place des meubles. »

Non seulement c'était impossible, mais Maigret n'en avait pas envie. Cela lui faisait certes un drôle d'effet de rentrer dans cette maison dévastée qu'ils allaient quitter pour toujours, mais ce qui lui faisait un effet plus étrange encore, c'était la vue de certaines choses que sa femme se préparait à emporter, et aussi des phrases qu'elle prononçait sans cesse de s'agiter.

« Tu as vu les fauteuils pliants qu'on a livrés? Quelle heure as-tu? C'est Mme Bigaud qui a téléphoné pour les meubles. Le temps est superbe et les cerisiers sont blancs de fleurs. Quant à la chèvre dont elle nous avait parlé, elle n'est pas à vendre, mais son propriétaire nous donnera son petit si elle en a un cette année. »

Maigret, qui approuvait en souriant, n'y était pas du tout.

« Mange toujours, criait Mme Maigret de la pièce voisine. Moi je n'ai pas faim. »

Lui non plus. Il grignota. Puis il dut descendre les bagages encombrants, aux formes biscornues — il y avait même des outils de jardin! — qui emplirent un taxi.

« Gare d'Orsay. »

Il embrassa sa femme à la portière du train et, vers onze heures, il se trouva seul au bord de la Seine, mécontent de quelque chose ou de quelqu'un.

Un peu plus loin, quai des Célestins, il passa devant les bureaux de Ducrau. Il n'y avait pas de lumière. Les rayons obliques d'un bec de gaz faisaient scintiller les plaques de cuivre. Et des bateaux, tout au long des berges, étaient mollement couchés sur le fleuve.

Pourquoi le chef lui avait-il dit ça? C'était idiot! Maigret avait vraiment envie de campagne, de quiétude, de lecture. Il était fatigué.

Et pourtant il ne parvenait pas à suivre sa femme en pensée. Il essayait de se souvenir de ce qu'elle lui avait dit à propos de la chèvre et d'autres choses encore. Mais en réalité il se demandait, en regardant le fourmillement des lumières sur l'autre rive de la Seine :

« Où peut être Ducrau à cette heure-ci? Est-il enfin rentré chez lui, malgré son horreur pour le « carnaval »? Dîne-t-il, les coudes sur la table, dans un grand restaurant ou dans un bistrot de chauffeurs? Va-t-il à nouveau traîner de maison close en maison close en portant au bras le deuil de son fils? »

Rien sur ce Jean Ducrau, rien de rien! Il y a comme cela des êtres sur qui les gens n'ont rien à dire. Deux inspecteurs s'en étaient occupés, au Quartier latin, à l'École des Chartes, à Charenton.

« Un charmant garçon, un peu renfermé, pas très bien portant... »

On ne lui connaissait pas de vice, pas de

passion. On ne savait pas à quoi il passait ses soirées.

« Il doit rester chez lui à travailler, car, depuis sa maladie, il avait plutôt le travail difficile. »

Pas de vie de famille. Pas de copains. Pas de petite amie. Et, un beau matin, il se pendait en s'accusant d'avoir voulu tuer son père!

Il y avait eu néanmoins ces trois mois passés sur *La Toison d'Or* avec Aline.

Jean... Aline... Gassin... Ducrau...

Maigret reconnut les grilles de Bercy, puis, à droite, les cheminées de l'usine électrique. Des tramways le dépassaient. Il lui arrivait de s'arrêter sans raison, puis de repartir.

Là-bas, l'écluse n° 1 l'attendait, et la maison haute, la péniche, les bistrots, le petit bal, tout un décor ou plutôt tout un monde lourd de substances, d'odeurs, de vies enchevêtrées qu'il essayait de démêler.

C'était sa dernière affaire. Les meubles étaient déjà arrivés dans la bicoque des bords de la Loire.

Il avait mal embrassé sa femme en la quittant. Il avait porté les paquets avec mauvaise humeur. Il n'avait même pas attendu que le train s'ébranlât.

Pourquoi le chef lui avait-il dit ça?

Et brusquement, Maigret prit le tramway, au lieu de poursuivre sa marche indécise le long des quais.

Le paysage était d'autant plus vide que la lune en éclairait les moindres recoins. Le bistrot de gauche était déjà fermé et dans celui de Fernand trois hommes jouaient aux cartes avec le patron.

Quand Maigret passa sur le trottoir, ils entendirent le bruit de ses pas, de l'intérieur, et Fernand leva la tête, reconnut sans doute le commissaire car il ouvrit la porte.

« Encore par ici à cette heure ? Il n'y a pas de nouveau, au moins ?

— Rien de nouveau.

— Vous ne voulez pas prendre quelque chose ?

— Merci.

— Vous avez tort. On bavarderait un moment. »

Maigret entra, avec la sensation qu'il faisait une gaffe. Les joueurs attendaient, leurs cartes à la main. Le patron remplit un verre de marc, un second pour lui.

« A votre santé !

— Tu joues, ou tu ne joues pas ?

— Voilà ! Vous permettez, monsieur le commissaire ? »

Et celui-ci restait debout à flairer quelque chose d'anormal.

« Vous ne prenez pas une chaise ? Je coupe ! »

Maigret regarda dehors, mais ne vit rien que le décor stagnant dont la lune découpait les contours.

« Curieux, n'est-ce pas, cette histoire de Bébert?

— Joue! Tu causeras après.

— Je vous dois combien? questionna Maigret.

— C'est ma tournée.

— Mais non.

— Mais si. Une seconde, et je suis à vous. Belote! »

Il jeta les cartes, se dirigea vers le comptoir.

« Qu'est-ce que vous prenez? La même chose? Et vous autres, les enfants? »

Il y avait dans l'air, dans les attitudes, dans les voix, quelque chose de pas net, de pas franc, surtout chez le patron, qui s'acharnait à ne pas laisser s'installer le silence.

« Vous savez que Gassin est toujours aussi soûl? C'est une vraie neuvaine! Un grand verre, Henry? Et toi? »

Il n'y avait plus que le café de vivant sur le quai endormi. Maigret, qui essayait d'observer à la fois le dedans et le dehors, marcha vers la porte.

« A propos, monsieur le commissaire, je voulais vous dire...

— Quoi? grogna-t-il en se retournant.

— Attendez... Je ne sais plus... C'est idiot... Qu'est-ce que vous prenez?... »

C'était tellement faux que ses copains le regardaient avec gêne. Fernand le sentit lui-même et ses pommettes devinrent plus rouges.

« Que se passe-t-il ? questionna Maigret.

— Que voulez-vous dire ? »

Il tenait la porte ouverte et regardait les bateaux englués dans le canal.

« Pourquoi essaies-tu de me retenir ?

— Moi ? Je vous jure... »

Alors, le commissaire finit par deviner dans la masse formée par les coques sombres, par les mâts et les cabines, un tout petit point lumineux. Sans se donner la peine de refermer la porte, il traversa les quais, se trouva devant la passerelle de *La Toison d'Or*.

Un homme était debout à deux mètres de lui, qu'il faillit ne pas voir.

« Qu'est-ce que vous faites ici ?

— J'attends mon client. »

Et en se retournant, Maigret constata qu'il y avait un peu plus loin un taxi sans lanterne.

L'étroite passerelle fit, sous le poids du commissaire, un bruit de planche remuée. Il y avait une faible lueur derrière les vitraux de la porte et il l'ouvrit sans hésiter, s'engagea dans l'escalier.

« On peut entrer ? »

On sentait de la vie. Après quelque marches, Maigret domina la cabine éclairée par une lampe à pétrole. La couverture du lit était faite pour la nuit. Sur la toile cirée de la table, il y avait une bouteille et deux verres.

Et deux hommes étaient assis face à face, silencieux, attentifs : le vieux Gassin dont les petits yeux étaient menaçants et, les coudes sur la table, Émile Ducrau, qui avait repoussé sa casquette sur sa nuque.

« Entrez, commissaire. Je me doutais que vous viendriez. »

Il ne crânait pas. Il n'était ni gêné ni surpris. La grosse lampe à pétrole dégageait des bouffées brûlantes et le calme était si absolu qu'on eût juré qu'avant l'arrivée de Maigret les deux hommes avaient passé des heures de mutisme et d'immobilité. La porte de la seconde cabine était fermée au verrou. Aline dormait-elle ? Écoutait-elle, immobile dans l'obscurité ?

« Mon chauffeur est toujours là ? »

Ducrau, comme un homme engourdi, essayait de secouer sa torpeur.

« Vous aimez l'eau-de-vie hollandaise ? »

Il alla prendre lui-même un verre dans le buffet, l'emplit de liquide incolore et voulut saisir son propre verre. Mais à ce moment, Gassin, d'un geste brutal, balaya la table. Bouteille et verres roulèrent sur le plancher. La bouteille, par miracle, ne se brisa pas, perdit son bouchon et fit entendre un long glouglou.

Ducrau n'avait pas tressailli. Peut-être s'attendait-il à un acte de ce genre ? Quant à Gassin, à deux doigts d'une crise furieuse, il respirait avec force, les poings serrés, le torse en avant.

Quelqu'un remuait dans la cabine voisine. Le chauffeur arpentait toujours le quai. Gassin resta encore un moment comme en suspens et enfin il s'abattit sur sa chaise, la tête entre les mains, en sanglotant :

« Bon sort de bon sort ! »

Ducrau montrait l'écoutille à Maigret et, en passant, se contentait de toucher l'épaule du vieux. C'était fini. Sur le pont, ils prenaient un bain d'air et comme de limpidité. Le chauffeur courait vers sa voiture. Ducrau attendit un moment, la main sur le bras de son compagnon.

« J'ai fait tout ce que je pouvais. Vous rentrez à Paris ? »

Ils gravissaient les marches de l'escalier de pierre et l'auto ronronnait, portière ouverte. Le commissaire aperçut, derrière les vitres du bistrot, la silhouette de Fernand qui devait regarder la voiture.

« C'est vous qui avez donné des ordres pour qu'on ne vous dérange pas ?

— A qui ? »

Maigret esquissa un geste de la main, que son compagnon comprit.

« Il a fait ça ? »

Ducrau sourit, flatté et mécontent.

« Braves idiots ! grommela-t-il. Montez ! Tout droit, chauffeur. Vers le centre de la ville. »

Il retira sa casquette pour se passer la main dans les cheveux.

« Vous me cherchiez ? »

Maigret n'avait rien à répondre et, d'ailleurs, son interlocuteur n'attendait pas de réponse.

« Vous avez réfléchi à ce que je vous ai proposé ce matin ? »

Mais Ducrau n'espérait pas. Peut-être même eût-il été déçu par une bonne réponse.

« Ma femme est partie ce soir pour arranger les meubles dans ma maison.

— De quel côté ?

— Entre Meung et Tours. »

Les quais étaient déserts. Jusqu'à la rue Saint-Antoine, on ne croisa que deux voitures. Le chauffeur baissa la glace.

« Où faut-il aller ? »

Et Ducrau, comme s'il défiait quelqu'un :

« Vous me déposerez au *Maxim*. »

C'est là qu'il descendit, en effet, lourd et buté, dans son gros complet bleu orné d'un brassard de crêpe. Le chasseur, qui devait le connaître, se précipita néanmoins.

« Vous entrez un moment, commissaire ?

— Merci. »

Ducrau était déjà dans le tambour de la porte qui tournait, si bien qu'ils ne se serrèrent pas la main, n'eurent même pas le temps de se saluer.

Il était une heure et demie. Le chasseur demandait à Maigret :

« Taxi ? »

Oui... Non... boulevard Edgar-Quinet, il n'y avait personne et le grand lit était parti pour la campagne, Maigret fit comme Ducrau : il alla coucher à l'hôtel, au bout de la rue Saint-Honoré.

Sa femme, qui était arrivée là-bas, dormait pour la première fois dans leur maison.

7

Un piétinement lent et monotone venait
encore du fond du cimetière, bien que la tête du
cortège fût déjà à la grille. Et ce bruit de
graviers écrasés, cette poussière qui étoffait l'air
jusqu'à y mettre des arcs-en-ciel, la pesanteur
de cette troupe en marche qui devait parfois
marquer le pas, accroissaient encore l'impression de chaleur.

Calé contre la grille ouverte du cimetière,
Émile Ducrau, tout en noir, avec du linge très
blanc, s'épongeait de son mouchoir roulé en
boule et serrait la main de tous ceux qui
s'inclinaient. On n'aurait pas pu dire à quoi il
pensait. Il n'avait pas pleuré et même il n'avait
cessé de regarder les gens comme s'il n'eût été
pour rien dans cet enterrement. Son beau-fils,
mince et correct, avait les yeux rouges. On ne
voyait pas le visage des femmes sous le crêpe.

Le cortège avait encombré tout Charenton.
Derrière les deux chars de fleurs et de cou-
ronnes marchaient des centaines de mariniers

bien lavés, bien peignés, vêtus de bleu, la casquette à la main.

Ils saluaient maintenant, un à un, en sortant du cimetière, et balbutiaient des condoléances, après quoi on les voyait se former gauchement en groupes et chercher un café. Ils avaient des gouttes de sueur au front. On les sentait moites dans les grosses vestes croisées.

Maigret était sur le trottoir d'en face, devant l'éventaire de la fleuriste, à se demander s'il allait rester encore. Un taxi s'arrêta près de lui. Un de ses inspecteurs en sortit et le chercha.

« Ici, Lucas.

— Il ne s'est rien produit? Je viens d'apprendre que ce matin à huit heures et demie le vieux Gassin a acheté un revolver chez un armurier de la Bastille. »

Il était là, Gassin, à cinquante mètres encore de la famille en rang. Il suivait le flot sans parler à ses voisins, sans impatience, l'œil morne.

Maigret l'avait remarqué auparavant, car c'était la première fois qu'il le voyait endimanché, la barbe taillée, avec du linge et un complet neuf. Avait-il enfin cessé sa neuvaine d'ivrognerie? En tout cas, il était plus digne, plus calme. Il ne grommelait plus de syllabes entre ses dents et c'était même un peu inquiétant de le voir aussi digne.

« Tu es sûr?

— Certain. Il s'est fait expliquer le maniement de l'arme.

— Tout à l'heure, quand il sera un peu plus loin, tu l'arrêteras discrètement et me l'amèneras au commissariat. »

En attendant, Maigret se hâta de traverser la chaussée et se campa à trois mètres à peine de Ducrau qui en fut étonné. Il défilait toujours du monde, toujours des gens en bleu, au teint cuit, aux cheveux délavés. Le regard de Maigret croisa celui de Gassin qui approchait, mais le vieux ne manifesta ni surprise ni contrariété.

Il prenait son tour. Il marquait le pas derrière les autres. Enfin, sans rien dire, il tendit sa vieille main ridée qui serra celle de son patron.

C'était tout. Il s'en allait. Maigret observa sa démarche et fut incapable de dire s'il avait bu ou non, car l'excès d'ivresse donne parfois cet excès de sang-froid.

L'inspecteur attendait au premier coin de rue. Maigret lui fit signe que oui et les deux hommes s'éloignèrent l'un derrière l'autre.

« Tu devrais passer rue du Sentier, à la maison qui est en face du bureau de poste et acheter une centaine de mètres de corde à rideau... », avait téléphoné, le matin, Mme Maigret.

Dans Charenton, on rencontrait des mariniers partout et bientôt il y en aurait partout, endimanchés, dans tous les cafés des quais, depuis le canal jusqu'à Auteuil. Quelles avaient été les réactions du vieux Gassin quand l'inspecteur l'avait arrêté ? Maigret avait préféré s'en aller du côté contraire et maintenant il ne savait pas dans quelle rue il se trouvait. On le hélait.

« Commissaire ! »

C'était Ducrau, qui était déjà à deux pas de lui, Ducrau qui avait dû quitter sa famille en deuil et écourter les condoléances pour se mettre à sa poursuite.

« Que fricote-t-on autour de Gassin ?

— Que voulez-vous dire ?

— Je vous observais tout à l'heure, quand votre inspecteur vous a parlé. On va l'arrêter ?

— C'est fait.

— Pourquoi ? »

Maigret se demanda un instant s'il valait mieux parler ou non.

« Il a acheté un revolver, ce matin. »

L'armateur ne dit rien, mais ses yeux devinrent tout petits, son regard dur.

« Je suppose que c'est pour vous ? continua le commissaire.

— C'est fort possible », grogna Ducrau en enfonçant sa main dans sa poche et en exhibant un browning.

Il riait avec défi.

« Vous m'arrêtez ?

— Ce n'est pas la peine. Il faudrait vous relâcher tout à l'heure.

— Et Gassin ?

— Gassin aussi. »

Ils étaient dans une tache de soleil, au bord du trottoir, dans une rue étroite où les ménagères faisaient leur marché, et c'est là que, pensant aux deux hommes lâchés dans Paris, chacun avec un revolver, Maigret eut l'idée bouffonne qu'il avait l'air de jouer à Dieu-le-Père.

« Gassin ne me tuera pas, affirma l'armateur.

— Pourquoi?

— Parce que! »

Et changeant de ton :

« Voulez-vous venir déjeuner chez moi demain, à la campagne? C'est à Samois.

— Je verrai. Je vous remercie quand même. »

Il le laissa aller, lui et son revolver et son faux col trop raide qui le gênait. Maigret était fatigué et il se souvint qu'il avait promis de téléphoner à sa femme pour lui dire s'il irait passer le dimanche avec elle. Mais il entra d'abord au commissariat. Du moins y faisait-il frais! Le commissaire était parti déjeuner et son secrétaire reçut Maigret avec empressement.

« Votre homme est dans la cellule de gauche. J'ai gardé ici le contenu de ses poches. »

C'était posé sur un journal déployé : d'abord le revolver, qui était un revolver bon marché, à barillet; ensuite une pipe en écume, une blague à tabac en caoutchouc rouge et un mouchoir bordé de bleu; enfin un portefeuille roussi et mou que Maigret mania un moment avant de l'ouvrir.

Il ne contenait presque rien. Dans une pochette se trouvaient les papiers de *La Toison d'Or* et la feuille de déclaration, avec la signature des éclusiers. Ailleurs, un peu d'argent, puis deux portraits, un de femme et un d'homme.

Le portrait de femme datait d'au moins vingt ans. L'épreuve, mal virée, pâlissait, mais on distinguait encore les traits d'une femme jeune et mince, au sourire voilé qui rappelait le sourire d'Aline.

C'était la femme de Gassin et, à cause de sa santé délicate, de cette langueur involontaire, le monde robuste de l'eau devait la trouver distinguée. Ducrau aussi, qui avait couché avec elle! Était-ce à bord, tandis que Gassin buvait au café, ou dans quelque vilaine chambre meublée ?

L'autre portrait était celui de Jean Ducrau, qu'on venait d'enterrer. C'était une photo d'amateur. Le jeune homme, en pantalon blanc, était debout sur le pont de la péniche. Au dos, il avait écrit : *A ma petite amie Aline qui pourra peut-être le lire un jour, son grand ami, Jean.*

Mort aussi! Pendu!

« Et voilà, dit Maigret.

— Vous avez trouvé quelque chose ?

— Des mots ! » laissa-t-il tomber en ouvrant la porte d'une cellule.

★*★

« Eh bien, père Gassin? »

Le vieux, qui était assis sur le banc, se leva et Maigret fronça les sourcils en voyant ses chaussures béantes, son faux col ouvert, sans cravate. Il appela le secrétaire.

« Qui a fait cela ?

— Mais d'habitude...

— Renouez-lui ses lacets et sa cravate. »

Car le marinier était si piteux ainsi, que le procédé prenait l'allure d'une injure ou d'une méchanceté.

« Asseyez-vous, Gassin ! Voici vos affaires, sauf le revolver, bien entendu. Finie, la neuvaine ? Vous êtes sain d'esprit ? »

Il s'assit en face de son interlocuteur, les coudes sur les genoux, tandis que le vieux, plié en deux, enfilait ses lacets de chaussures.

« Vous remarquerez que je ne vous ai jamais embêté. Je vous ai laissé aller et venir tout à votre aise et boire comme un trou de sable. Laissez ça tranquille ! Vous vous rhabillerez tout à l'heure. Vous entendez ? »

Gassin leva la tête et Maigret constata que, s'il la baissait auparavant, c'était peut-être pour cacher un drôle de sourire.

« Pourquoi voulez-vous tuer Ducrau ? »

Il n'y avait déjà plus de sourire ; il y avait un visage tout ridé de marinier qui, tourné vers Maigret, n'exprimait qu'une tranquillité parfaite.

« Je n'ai encore tué personne. »

N'était-ce pas la première fois qu'il parlait ? Il

le faisait posément, d'une voix sourde qui devait être sa voix naturelle.

« Je sais. Mais vous voulez tuer?

— Je tuerai peut-être quelqu'un.

— Ducrau?

— Peut-être lui, peut-être un autre. »

Il n'était pas ivre, c'était évident. Mais il avait bu quand même. Ou alors il gardait des restes de ses libations antérieures. Les autres jours, il exagérait ses airs hargneux. A présent il était trop calme.

« Pourquoi avez-vous acheté une arme?

— Pourquoi êtes-vous à Charenton?

— Je ne vois pas le rapport.

— Si! »

Et, comme Maigret se taisait un moment, impressionné par ce raccourci vertigineux :

« Avec la différence que vous, au fond, cela ne vous regarde pas. »

Il ramassa le second lacet et, à nouveau ployé, il commença à le passer dans les œillets de la chaussure. Il fallait tendre l'oreille pour ne pas perdre un mot de ce qu'il disait car les syllabes se brouillaient dans sa barbe. Peut-être se moquait-il d'être entendu? Peut-être était-ce un dernier soliloque d'ivrogne?

« Il y a dix ans, à Châlons, le patron du *Cormoran* s'est arrêté devant une belle maison habitée par un docteur! Il s'appelait Louis. Pas le docteur, le patron! Il était fou de joie et d'impatience. Sa femme, qui avait trente ans, allait enfin avoir un enfant. »

Les murs trépidaient parfois au passage d'un tramway et on devinait le timbre d'une boutique proche dont la porte s'ouvrait et se refermait sans cesse.

« Un enfant, ils en espéraient un depuis huit ans. Louis était prêt à donner, pour l'avoir, tout ce qu'il avait économisé. Il va donc trouver le docteur, un petit brun à lunettes, que j'ai connu. Il lui explique qu'il a peur que l'accouchement ait lieu au diable, dans un village, et qu'il préfère rester à Châlons tant qu'il faudra. »

Gassin se redressa, congestionné d'être resté tête basse.

« Huit jours passent. Le docteur vient tous les soirs. Enfin les douleurs commencent vers cinq heures de l'après-midi. Louis ne tient pas en place. On le voit sur le pont, sur le quai. Il se suspend à la sonnette du médecin. Il l'amène, presque de force. L'autre lui jure que tout va bien, très bien, que les choses se dérouleront sans accroc et qu'il suffira de le prévenir à la dernière minute. »

Gassin récitait cela comme une litanie.

« Vous ne connaissez pas le coin? Moi, je vois la maison comme si j'y étais, une grande villa neuve, avec de larges fenêtres qui, ce soir-là, étaient toutes éclairées, car le docteur donnait une fête. Il était beau, parfumé, les moustaches

frisées. Deux fois il est venu, en coup de vent,
l'haleine sentant le bourgogne, puis les liqueurs.

‹ — Parfait, parfait! qu'il disait. A tout à
l'heure... »

« Il traversait le quai en courant. On entendait le phonographe. On voyait même sur les
rideaux l'ombre des gens qui dansaient.

« La femme hurlait et Louis, affolé, pleurait
sans pleurer. Ce qui se passait l'épouvantait.
Une vieille commère, dont le bateau était
amarré plus loin, jurait que l'enfant se présentait mal.

« A minuit, Louis va sonner chez le docteur
et on lui répond que celui-ci va venir.

« A minuit et demi, il sonne encore. Le
corridor est plein de musique.

« Et la femme de Louis hurle au point que
des passants s'arrêtent un moment sur le quai et
s'en vont à pas plus rapides.

« Enfin, les invités partent. Le petit docteur
arrive, pas tout à fait soûl, mais pas tout à fait
sain. Il retire son veston, trousse ses manches.

« — Il faudra peut-être les forceps... »

« Ils sont à l'étroit. On se bouscule. Et voilà le
docteur qui parle de broyer la tête de l'enfant!

« — Mais ce n'est pas possible! lui crie
Louis...

« — Vous voulez que je sauve la mère? »

« Il a sommeil, le docteur. Il n'en peut plus.
Il bafouille. Une heure après, quand il se

redresse, Louis voit que sa femme ne crie plus, ne bouge plus... »

Gassin regarda Maigret dans les yeux et conclut :

« Louis l'a tué.

— Le médecin ?

— Froidement, comme ça, d'une balle dans la tête, puis il a tiré une autre balle dans le ventre, puis il a ouvert la bouche comme s'il voulait manger son revolver et un troisième coup est parti. On a vendu le bateau aux enchères trois mois après. »

Pourquoi Gassin souriait-il ? Maigret l'aimait mieux ivre mort et méchant comme les autres jours.

« Qu'est-ce qu'on va me faire, maintenant ? questionna-t-il sans curiosité.

— Vous me promettez de ne pas faire de bêtises ?

— Qu'appelez-vous des bêtises ?

— Ducrau a toujours été votre ami, n'est-ce pas ?

— On est du même village. On a navigué ensemble.

— Il vous aime bien. »

Maigret prononça mal cette dernière phrase.

« Peut-être.

— Dites-moi, Gassin, à qui en voulez-vous ? Je vous parle en homme.

— Et vous ?

— Je ne comprends pas.

113

— Je vous demande après qui vous en avez. Vous cherchez quelque chose. Eh bien, qu'avez-vous trouvé ? »

C'était inattendu. Là où Maigret n'avait vu qu'un ivrogne, il y avait un homme qui, tout en se soûlant dans son coin, avait fait, en somme, son enquête personnelle. Car c'était cela que Gassin voulait dire !

« Je n'ai encore rien trouvé de précis.

— Moi non plus. »

Mais il était sur le point de le faire ! C'était le sens de son regard lourd et froid. Maigret avait eu raison de rendre les lacets et la cravate. L'affaire n'avait plus aucun rapport avec le commissariat miteux, ni même avec la police. Ils étaient deux hommes assis en face l'un de l'autre.

« Vous n'êtes pour rien dans l'attentat contre Ducrau, n'est-il pas vrai ?

— Pour rien du tout, répondit une voix ironique.

— Vous n'êtes pour rien non plus dans le suicide de Jean Ducrau. »

Gassin se tut et hocha lentement la tête.

« Vous n'étiez ni le parent ni l'ami de Bébert. Vous n'aviez aucune raison de le pendre. »

Le marinier se leva en soupirant et Maigret fut étonné de le voir si petit et si vieux.

« Dites-moi ce que vous savez, Gassin. Votre camarade de Châlons ne laissait rien derrière lui. Vous, vous avez une fille. »

Il s'en repentit, car il reçut un regard si terriblement interrogateur qu'il sentit la nécessité de mentir et de bien mentir, coûte que coûte.

« Votre fille guérira.

— Peut-être bien que oui. »

On eût dit que cela lui était égal. La question n'était pas là, parbleu! Maigret le savait. On en était arrivé où il eût voulu ne pas en venir. Mais Gassin ne posait pas de question. Il se taisait et regardait, c'était tout et c'était angoissant.

« Vous avez vécu heureux jusqu'ici à votre bord...

— Savez-vous pourquoi je fais toujours la même route? Parce que c'est celle que nous avons parcourue quand je me suis marié. »

Sa chair était toute dure, sa peau striée de fines rides noires.

« Répondez-moi, Gassin, savez-vous qui a attaqué Ducrau?

— Pas encore.

— Savez-vous pourquoi son fils s'est accusé?

— Peut-être.

— Savez-vous pourquoi l'éclusier a été pendu?

— Non. »

Il était sincère, c'était hors de doute.

« On va me mettre en prison?

— Je ne peux pas vous maintenir en état d'arrestation pour port d'arme prohibée. Je vous demande seulement d'être calme, patient, d'attendre la fin de mon enquête. »

Les petits yeux clairs étaient redevenus agressifs.

« Je ne suis pas le médecin de Châlons », ajouta Maigret.

Gassin souriait tandis que le commissaire se levait, fatigué par cet interrogatoire qui n'en était pas un.

« Je vais vous relâcher dès maintenant. »

Il n'y avait rien d'autre à faire. Dehors, c'était toujours cet invraisemblable printemps sans une goutte de pluie, sans une averse, sans un nuage. Sur une petite place, la terre était dure et blanche autour des marronniers. Les arroseuses municipales aspergeaient toute la journée un bitume aussi mou qu'en plein été.

Sur la Seine, sur la Marne, sur le canal même, des petites embarcations peintes ou vernies, avec des rameurs aux bras nus, se faufilaient entre les péniches.

Partout il y avait des terrasses sur les trottoirs et en passant devant les cafés on recevait des bouffées de bière fraîche. Bien des mariniers n'avaient pas encore rejoint leur bord. Ils allaient de bistrot en bistrot, le col amidonné, le visage de plus en plus rouge.

Une heure plus tard, Maigret apprenait, au café du quai, que Gassin n'était pas rentré chez lui non plus, mais qu'il avait pris une chambre chez Catherine, au-dessus du bal.

8

C'ÉTAIT un dimanche comme on n'en a que dans ses souvenirs d'enfant, tout pimpant, tout neuf depuis le ciel d'un bleu de pervenche jusqu'à l'eau qui reflétait les maisons en les étirant. Les taxis eux-mêmes étaient plus rouges ou plus verts que les autres jours et les rues vides et sonores s'amusaient à se renvoyer les moindres sons.

Maigret fit arrêter sa voiture un peu avant l'écluse de Charenton et Lucas, qu'il avait chargé de surveiller Gassin, sortit du bistrot et vint à sa rencontre.

« Il n'a pas bougé. Hier au soir, il a bu avec la femme du bal, mais il n'est pas sorti de la bicoque. Peut-être dort-il encore. »

Comme les rues, le pont des péniches était désert. Seul un petit garçon, assis sur un gouvernail, mettait ses chaussettes du dimanche. Et Lucas poursuivait en désignant *La Toison d'Or* :

« Hier, la folle était nerveuse. Quatre ou cinq

fois, elle a jailli de l'écoutille et une fois elle a couru jusqu'au café du coin. Des mariniers l'ont remarquée et sont allés trouver le vieux, mais il n'a pas voulu rentrer. A la suite de l'enterrement, et de tout, cela a créé comme une gêne. Jusqu'à minuit, on voyait sans cesse des gens sur les bateaux et tous regardaient par ici. Il faut vous dire aussi que le bal s'est remis à fonctionner. On entend la musique de l'écluse. Les mariniers étaient encore endimanchés. Bref, la folle a dû finir par s'endormir, mais ce matin il faisait à peine jour qu'elle errait dans les environs, pieds nus, inquiète comme une mère chatte. En passant elle a réveillé les habitants de trois ou quatre péniches, si bien qu'il y a deux heures vous auriez pu voir des couples en chemise à toutes les écoutilles. Malgré tout, personne ne lui a dit où était le vieux. Je crois que ça valait mieux. Une femme l'a ramenée à bord de *La Toison d'Or* et maintenant elles y sont toutes les deux à fricoter leur petit déjeuner. Tenez, on voit de la fumée sortir du tuyau de poêle. »

La fumée montait, toute droite, de la plupart des bateaux où l'on s'habillait dans une chaude odeur de café.

« Continue à le surveiller », dit Maigret.

Au lieu de remonter aussitôt dans son taxi, il entra dans la salle de bal dont la porte était ouverte. La femme éparpillait des gouttelettes d'eau sur le plancher avant de le balayer.

« Il est là-haut ? demanda le commissaire.

— Je crois qu'il vient de se lever, car j'entends des pas. »

Maigret monta quelques marches et écouta. Quelqu'un allait et venait, en effet. Une porte s'ouvrit et Gassin montra son visage couvert de savon, haussa les épaules et rentra chez lui.

La maison de campagne de Ducrau, à Samois, séparée de la Seine par le chemin de halage, était une grande construction à trois ailes précédée d'une cour d'honneur. Quand le taxi s'arrêta, Ducrau attendait près de la grille, vêtu de bleu marine comme d'habitude, une casquette neuve sur la tête.

« Vous pouvez renvoyer la voiture, dit-il à Maigret. La mienne vous reconduira. »

Et il attendit que le commissaire eût payé. Avec un soin inattendu, il ferma lui-même la grille, mit la clef dans sa poche et appela le chauffeur qui, au fond de la cour, lavait au jet une auto grise.

« Edgar ! Tu ne laisseras entrer personne et si tu vois quelqu'un rôder autour de la maison, viens me prévenir. »

Après quoi, il regarda gravement Maigret et questionna :

« Où est-il ?

— Il s'habille.

— Et Aline? Elle ne s'est pas affolée?

— Elle l'a cherché. Maintenant, une voisine est avec elle à bord.

— Voulez-vous casser la croûte? On ne déjeunera pas avant une heure.

— Merci.

— Un verre de quelque chose?

— Pas maintenant. »

Ducrau restait dans la cour, à regarder les bâtiments, et il désigna une fenêtre du bout de sa canne.

« La vieille n'est pas encore habillée. Quant au jeune ménage, vous l'entendez se chamailler. »

En effet, des voix se répondaient assez vivement dans une chambre du premier étage dont les fenêtres étaient ouvertes.

« Le potager est derrière, ainsi que les anciennes écuries. La maison de gauche appartient à un grand éditeur et celle de droite est habitée par des Anglais. »

Des maisons de campagne et des villas, il y en avait tout alentour, entre la Seine et la forêt de Fontainebleau. Maigret distinguait le bruit mat des balles dans un tennis voisin. Les jardins se touchaient. Une vieille dame en blanc, au bord d'une pelouse, était étendue dans un rocking-chair.

« Vous ne voulez vraiment rien boire? »

Ducrau paraissait dérouté, comme s'il se fût

demandé ce qu'il allait faire de son hôte. Il ne s'était pas rasé. Ses paupières étaient lasses.

« Voilà! c'est ici que nous passons le dimanche. »

Et le ton était le même que s'il eût soupiré :

« Imaginez si la vie peut être lamentable! »

Autour des deux hommes tout était calme, avec des contrastes d'ombre et de lumière, des murs blancs, des rosiers grimpants, et du gravier rond par terre. La Seine coulait doucement, sillonnée de petits bateaux, et des gens passaient à cheval sur le chemin de halage.

Ducrau se dirigea vers le potager, tout en bourrant une pipe, désigna un paon qui pataugeait dans un carré de salades et grommela :

« Une idée de ma fille, qui est persuadée que ça fait riche. Elle voulait des cygnes aussi, mais il n'y a pas d'eau! »

Il pensait si peu à ce qu'il disait qu'il articula soudain en regardant Maigret dans les yeux :

« Et vous, vous n'avez pas changé d'idée? »

Ce n'était pas une question qu'il posait en l'air. Elle était prête depuis longtemps, sans doute depuis la veille, et il n'avait qu'elle dans la tête. Il y attachait une telle importance qu'il en était tout assombri.

Maigret fumait et regardait la fumée monter dans l'air transparent.

« Je quitte la police mercredi.

— Je sais. »

Ils se comprenaient très bien, sans vouloir en

avoir l'air. Ducrau n'avait pas fermé la grille par hasard et ce n'était pas davantage par hasard qu'il arpentait le potager désert.

« Ça ne vous suffit pas? » dit le commissaire si bas, avec un tel détachement, qu'on pouvait se demander s'il avait vraiment parlé.

Ducrau s'arrêta net et fixa longuement une cloche à melon. Quand il releva la tête, son expression avait changé. Tout à l'heure, il n'avait pas de masque. C'était un homme embêté, hésitant, inquiet.

Mais c'était fini. Les traits s'étaient durcis. Il y avait sur les lèvres un méchant sourire. Il ne regarda pas son compagnon, mais le décor autour de lui, le ciel, les fenêtres de la grande maison blanche.

« On va me voir, n'est-ce pas? »

Et son regard atteignait enfin Maigret en plein visage. C'était le regard d'un homme qui se force à l'optimisme et qui, peu sûr de lui, essaie de menacer.

« Parlons d'autre chose. Si on allait quand même boire un verre? Savez-vous ce qui m'étonne? C'est que votre enquête n'ait pas du tout porté sur Decharme, ni sur ma maîtresse, ni...

— Je croyais que vous vouliez parler d'autre chose? »

Mais Ducrau, bon enfant, de poursuivre en touchant l'épaule de Maigret :

122

« Un instant! Jouons franc jeu et dites-moi d'abord qui vous soupçonnez d'être coupable.

— Coupable de quoi? »

Ils souriaient tous les deux. De loin, on eût pu croire qu'ils plaisantaient sur un sujet anodin.

« De tout.

— Et s'il y avait un coupable pour chaque chose? »

Ducrau fronça les sourcils : la réponse lui déplaisait. Il poussa une porte, celle de la cuisine où sa femme, en peignoir, donnait des instructions à une souillon. Elle s'affola d'être surprise non coiffée, balbutia des excuses, la main sur son chignon, pendant que son mari grognait :

« Ça va! Le commissaire s'en fout! Mélie, il faudrait aller nous chercher à la cave une bouteille de... de quoi?... champagne? Non? Alors, nous trouverons des apéritifs dans le salon. »

Il referma la porte brutalement et, dans le salon, remua des bouteilles qui encombraient l'appui d'une fenêtre.

« Pernod? Gentiane? Vous avez vu? Et sa fille est encore pire! Si elle n'était pas en deuil, elle arriverait tout à l'heure avec une robe de soie rose ou verte, un sourire endimanché et des airs sucrés. »

Il remplit deux verres, poussa un fauteuil vers le commissaire.

« Je suis tranquille que les voisins rigolent de nous, surtout quand, comme on le fera tantôt, nous mangerons sur la terrasse! »

Son regard lent allait d'un objet à l'autre. Le salon était riche et il y avait un énorme piano à queue.

« A votre santé! Quand j'ai voulu acheter mon premier remorqueur, il me fallait des facilités de paiement, bien entendu. Il y avait douze traites que la banque acceptait à condition que j'apporte un aval. J'ai demandé celui de mon beau-père. Eh bien, il a refusé, sous prétexte qu'il n'avait pas le droit de mettre sa famille sur la paille! Maintenant, c'est moi qui entretiens la vieille. »

On sentait que cette rancune-là était si profondément ancrée en lui qu'il avait mal rien que d'en parler. Il cherchait un autre sujet de conversation et il attira une boîte de cigares.

« Vous en voulez un? Si vous préférez votre pipe, ne vous gênez pas! »

En même temps, il froissait le napperon brodé qui se trouvait sur la table.

« Voilà à quoi elles passent leur temps! Quant à l'imbécile d'officier, il fait les concours d'échecs qu'on trouve à la dernière page des journaux! »

Il pensait à autre chose et Maigret, qui commençait à le connaître, souriait maintenant quand les yeux de Ducrau restaient étrangers à ses paroles.

124

Ses yeux? Ils épiaient sans cesse le commissaire. Ils essayaient encore de le juger. Ils se demandaient à chaque instant si le premier jugement était juste et ils se demandaient surtout quel pouvait être le point faible.

« Qu'avez-vous fait de votre maîtresse?

— Je lui ai dit de débarrasser le plancher et je ne sais même pas où elle est allée. Par contre, elle a eu le bon goût de suivre l'enterrement, en grand deuil, avec sa figure enfarinée de putain sur le retour! »

Il se rongeait. Tout le hérissait. Il en arrivait, eût-on dit, à haïr les objets eux-mêmes, comme ce napperon qu'il tripotait toujours.

« Au *Maxim*, elle était charmante, et gaie. Elle représentait quelque chose, quoi, quelque chose d'autre que ma femme et ses pareilles! Je la mets dans ses meubles et la voilà qui engraisse, s'ingénie à faire son linge elle-même et à cuisiner comme une concierge. »

Il y avait longtemps que Maigret avait compris ce drame burlesque qui empoisonnait l'existence de Ducrau. Il était parti de zéro. Il gagnait de l'argent à la pelle. Il traitait des affaires avec de gros bourgeois dont il entrevoyait l'existence. Or, les siens restaient à la traîne. Sa femme, à Samois, avait les mêmes gestes, les mêmes habitudes que quand elle faisait la lessive à l'arrière du remorqueur, et sa fille n'était qu'une caricature de petite bourgeoise.

Ducrau en souffrait comme d'une injure personnelle et il sentait parfaitement que ses voisins ne le prenaient pas au sérieux en dépit de la grosse maison blanche, du chauffeur et du jardinier.

Il les regardait avec envie sur leur pelouse ou sur leur terrasse. Il enrageait, et, par protestation, il crachait par terre, enfonçait ses mains dans ses poches et hurlait des gros mots.

Quand il entendit des pas dans l'escalier, il soupira en faisant un clin d'œil :

« Les autres, maintenant ! »

C'étaient sa fille et son gendre, en noir, en grande tenue, bien peignés, qui s'inclinaient avec la discrétion douloureuse des gens qu'un grand malheur vient de frapper.

« Enchanté, monsieur. Notre père nous a souvent parlé de vous et...

— Ça va ! Buvez plutôt quelque chose ! »

Sa hargne croissait en leur présence. Debout à la fenêtre, il regardait la grille qui se découpait sur la Seine.

« Vous nous excusez, monsieur le commissaire ? »

Le gendre était blond, correct et résigné.

« Un doigt de porto ? demanda-t-il à sa femme.

— Qu'est-ce que vous avez pris, monsieur le commissaire ? »

Et Ducrau, à la fenêtre, tambourinait d'impatience. Peut-être cherchait-il une méchanceté à dire ? En tout cas, il se retourna soudain et grogna .

« Le commissaire me demandait des renseignements sur vous. Et comme il sait que vous avez des dettes, il me faisait remarquer que ma mort aurait tout arrangé. Quant à celle de Jean, elle double vos espérances.

— Papa !... s'écria sa fille en portant à ses yeux un mouchoir bordé de noir.

— Papa !... l'imita-t-il. Eh bien, quoi ? Est-ce moi qui ai des dettes ? Est-ce moi qui veux aller vivre dans le Midi ? »

Le couple avait l'habitude et Decharme était assez habile : il esquissait un sourire triste, à peine dessiné, comme s'il eût considéré ces discours comme une plaisanterie ou comme l'effet d'une mauvaise humeur passagère. Il avait de jolies mains, blanches et longues, qu'il caressait en jouant avec l'alliance de platine.

« Vous ai-je dit qu'ils attendent un enfant ? »

Berthe Decharme se cachait le visage. C'était pénible. Ducrau le savait bien, mais il le faisait exprès. Le chauffeur traversa la cour, se dirigea vers le perron et l'armateur ouvrit la fenêtre pour l'appeler.

« Qu'est-ce qu'il y a ?...

— Monsieur m'a dit...

— Oui ! Ensuite ? »

Le chauffeur, désarçonné, désignait un bonhomme qui s'était assis dans l'herbe, au-delà de la grille et qui tirait un morceau de pain de sa poche.

« Imbécile! »

La fenêtre fut refermée. On voyait la servante, qui avait mis un tablier blanc, dresser la table sur la terrasse ombragée par un parasol rouge.

« Est-ce que tu sais seulement ce qu'il y a à dîner? »

Sa fille en profita pour sortir tandis que Decharme feignait de parcourir les partitions de piano.

« Vous jouez? » lui demanda Maigret.

Ce fut Ducrau qui répondit :

« Lui? Jamais de la vie! Il n'y a personne ici qui joue! Le piano, c'est du chiqué, comme le reste! »

Et, bien qu'il fît plutôt frais dans la pièce, il avait le front en sueur.

$$\star^\star_\star$$

Les voisins de gauche jouaient toujours au tennis et un valet en livrée leur apportait des rafraîchissements à l'heure où les Ducrau déjeunaient sur leur terrasse. Le parasol ne tamisait pas assez le soleil et la robe de soie noire de Berthe Ducrau avait des demi-cercles mouillés sous les bras. Quant à Ducrau, il était tellement tendu que cela fatiguait de le voir. Tout ce qu'il disait, tout ce qu'il faisait était pénible.

Lorsqu'on servit le poisson, il demanda à voir le plat, renifla, toucha du bout de l'index et gronda :

« Emportez !

— Mais, Émile...

— Emportez ! » répéta-t-il.

Quand sa femme revint de la cuisine, elle avait les yeux rouges. Il disait, lui, pesamment, tourné vers Maigret :

« C'est mercredi que vous prenez votre retraite. Mercredi soir ou mercredi matin ?

— Mercredi à minuit. »

Alors, attaquant son gendre :

« Tu sais combien je lui ai offert pour travailler avec moi ? Cent cinquante mille. S'il en veut deux cent, il les aura ! »

Il épiait toujours les allées et venues devant la grille. Il avait peur. Et Maigret, qui était seul à le savoir, était plus mal à l'aise que les autres, car le spectacle du bonhomme se débattant contre la panique était tragique, avec une pointe de ridicule et d'odieux.

Au café, Ducrau trouva autre chose.

« Voilà, dit-il en désignant le cercle qu'on formait autour de la table, ce qu'on appelle une famille. D'abord un homme qui a tout le poids sur les épaules, qui l'a toujours eu, qui l'aura jusqu'à ce qu'il en crève. Puis les autres qui s'accrochent à lui, inertes...

— Ça recommence ? questionna sa fille en se levant.

— Tu as raison. Va faire un petit tour. C'est peut-être ton dernier bon dimanche. »

Elle tressaillit. Son mari, qui s'essuyait les lèvres de sa serviette, leva la tête. Quant à Mme Ducrau, elle n'avait peut-être pas entendu.

« Qu'est-ce que tu veux dire?

— Rien! Je ne veux rien dire! continue à préparer ton voyage dans le Midi! »

Alors le gendre, qui ne devait pas avoir le sens de l'opportunité, de dire gentiment :

« Nous avons réfléchi, Berthe et moi. Le Midi est un peu loin. Si nous trouvons quelque chose sur les bords de la Loire...

— C'est cela! Vous n'avez qu'à demander au commissaire de vous dénicher ça tout près de chez lui, et il le fera, rien que pour le plaisir de vous avoir comme voisins!

— Vous habitez la Loire? s'empressa Decharme.

— Il y habitera peut-être. »

Lentement Maigret tourna la tête vers lui et cette fois il ne souriait pas. Il venait d'avoir un choc à la poitrine, une émotion qui faisait frémir ses lèvres. Depuis des jours, il pataugeait dans une incertitude écœurante et voilà que tout changeait soudain de par la magie d'un petit mot.

« *Peut-être!* »

Ducrau soutenait son regard avec la même

gravité, la même conscience de la valeur de cette minute.

« De quel côté est votre propriété? »

Mais la voix du gendre n'était qu'un bourdonnement auquel ils ne prenaient garde ni l'un ni l'autre. Plus calme était la respiration de Ducrau dont les narines se dilataient tandis que l'excitation de la lutte illuminait son visage luisant.

Ils avaient assez tourné l'un autour de l'autre. Ils s'étaient assez mesurés sans oser porter de coups.

A présent, Maigret respirait mieux, lui aussi. Il bourrait sa pipe et ses doigts s'enfonçaient voluptueusement dans la blague à tabac.

« Moi, j'aimerais assez la région de Cosne ou de Gien... »

Les balles rebondissaient sur le tennis rouge où voletaient les robes blanches des jeunes filles. Un petit canot à moteur grignotait le courant de la Seine avec un ronron de matou satisfait.

Mme Ducrau agita une sonnette pour appeler la servante, mais tout cela ne comptait pas, n'existait pas pour les deux hommes qui venaient enfin de se rejoindre.

« Tu peux aller près de ta femme, qui doit être en train de pleurer dans sa chambre.

— Vous croyez? Moi, je pense que c'est son état qui la rend nerveuse.

— Crétin, va! pouffa Ducrau tandis que

l'autre s'éloignait en s'excusant. Et toi, qu'est-ce que tu veux, avec ta petite sonnette?

— Rosalie a oublié les liqueurs.

— Ne t'inquiète pas pour cela. Quand nous aurons envie de liqueurs, nous en trouverons nous-mêmes. Pas vrai, Maigret? »

Il n'avait pas dit commissaire. Il avait dit Maigret. Debout, il s'essuyait les lèvres de sa serviette et il bombait le torse en faisant du regard le tour du paysage. Il aspirait l'air à pleins poumons, ronronnait d'aise, lui aussi.

« Qu'est-ce que vous en dites?

— De quoi?

— De tout! De tout ça! Il fait bon! Tenez, même l'éclusier qui déjeune dehors avec sa famille! Quand j'étais charretier, tout au début, on cassait la croûte sur le talus, avec Gassin, puis, comme les chevaux doivent se reposer pendant deux heures, on roupillait le nez dans l'herbe, avec des sauterelles qui nous passaient par-dessus la tête... »

On eût dit que chacune de ses prunelles était double. Il y avait d'abord le regard un peu flou qui caressait gaiement le paysage puis, au milieu, pointu, précis, farouche, un autre regard qui restait indépendant du premier.

« Vous faites quelques pas pour digérer? »

Il se dirigea vers la grille, qu'il ouvrit. Mais, avant de gagner le chemin de halage, il enfonça sa main dans la poche de derrière, sortit ostensiblement son browning dont il vérifia le chargeur.

C'était théâtral, enfantin, mais c'était impressionnant quand même. Maigret ne bronchait pas, feignait même de n'avoir rien vu. Des voix venaient de la chambre d'en haut, dont une voix courroucée.

« Qu'est-ce que je vous avais dit? Ils se disputent. »

Le revolver en poche, il marcha à côté de Maigret, doucement, le torse bombé, comme un promeneur du dimanche. Devant l'écluse, il s'arrêta quelques instants pour regarder l'eau qui filtrait des mille fissures de la porte et la famille attablée devant le seuil.

« Nous sommes le quantième?

— Le 13 avril. »

Il regarda Maigret soupçonneusement.

« Le 13? Ah! »

Et ils reprirent leur marche.

9

C'ÉTAIT l'heure où les choses ont des couleurs plus profondes mais sans vibration, renfermées qu'elles sont en elles-mêmes dans l'attente du crépuscule. On pouvait regarder en face le soleil rouge suspendu au-dessus des collines boisées. Les reflets de l'eau plus larges, somptueux, avec pourtant quelque chose de froid, d'éteint qui s'en dégageait déjà.

Des promeneurs, juste au-dessus de l'écluse, regardaient un jeune homme qui essayait de mettre en marche un canot automobile. On entendait le moteur faire quelques tours, aspirer l'air et tousser, puis c'était à nouveau l'effort impatient de la manivelle.

Ce fut Ducrau qui s'arrêta soudain, les mains derrière le dos, en regardant le rang de maisons qui, à cet endroit, borde le fleuve. Maigret n'avait rien remarqué d'anormal.

« Regardez, commissaire. »

Les maisons étaient des restaurants et des hôtels assez luxueux et il y avait une longue file de voitures le long du trottoir. Pourtant, entre deux restaurants, il y avait un étroit bistrot où l'on devait servir à manger aux chauffeurs et où, à l'occasion du dimanche, on avait sorti quatre tables en guise de terrasse.

Maigret cherchait ce qu'il y avait à voir. L'ombre des passants s'étirait, gigantesque. Il y avait déjà quelques chapeaux de paille et beaucoup de robes légères. Le regard du commissaire finit par accrocher une silhouette familière, celle de l'inspecteur Lucas, assis à la petite terrasse devant un demi. Lucas avait vu Maigret aussi et lui souriait par-delà la chaussée. Il semblait parfaitement heureux d'être là, par un beau dimanche, sous le vélum à raies rouges et jaunes qui lui faisait de l'ombre près d'un laurier en caisse.

A sa droite, au fond de la terrasse, le commissaire avait déjà repéré le vieux Gassin qui, appliqué, pesant de ses coudes sur le guéridon trop petit, écrivait une lettre.

Les gens revenaient d'une fête quelconque car on marchait comme en cortège en remuant de la poussière. Personne ne remarquait que deux hommes étaient arrêtés dans la foule, ni que l'un d'eux demandait en enfonçant sa main dans sa poche :

« Est-ce que cela s'appelle de la légitime défense ? »

Ducrau ne plaisantait pas. Il ne pouvait détacher son regard du vieux qui, de temps en temps, levait la tête pour réfléchir à ce qu'il allait écrire, mais qui paraissait ne rien voir autour de lui.

Maigret ne répondait pas, se contentait d'adresser un signe à Lucas, puis d'avancer de quelques pas dans la direction de l'écluse, tandis que Ducrau le suivait à regret.

« Vous avez entendu ma question ? »

Le canot partait enfin, glissait sur l'eau et dessinait des arabesques de remous.

« Me voici, patron. »

C'était Lucas qui regardait la Seine comme les autres.

« Il est armé ?

— Non. J'avais déjà visité la chambre, qui ne contient pas d'arme. Or, il ne s'est pas arrêté en route.

— Il t'a repéré ?

— Je ne crois pas. Il est trop préoccupé par ses propres pensées.

— Tu t'arranges pour avoir la lettre. Va !

— Vous n'avez toujours pas répondu, s'obstina Ducrau comme ils se remettaient en route.

— Et vous, vous avez entendu : il n'est pas armé. »

Ils marchaient toujours, se rapprochaient de la maison blanche.

« En somme, ricana l'armateur, nous avons chacun notre ange gardien. Il vaut mieux que vous dîniez avec nous. Et si même vous voulez accepter une chambre pour la nuit... »

Il poussait la grille. On voyait sa femme, sa fille et son gendre qui prenaient le thé sur la terrasse. Le chauffeur réparait une chambre à air qui formait une couronne d'un rouge agressif sur le gravier de la cour.

★★★

Ils étaient enfoncés chacun dans un fauteuil d'osier, devant une table qui supportait une bouteille et des verres. Mais ils n'avaient pas rejoint le reste de la famille sur la terrasse. Ils étaient restés dans la cour, près de la porte du salon qui, derrière eux, était peu à peu envahi d'ombre. Les réverbères de Samois s'étaient allumés beaucoup trop tôt, car ils faisaient dans la clarté de simples taches blanches, cependant que les gens du dimanche se raréfiaient, absorbés par la gare.

« Croyez-vous, disait Maigret de sa voix la plus calme, qu'un homme qui en a tué un autre hésite beaucoup, pour assurer sa tranquillité, à en supprimer un second et même, à la rigueur, un troisième? »

Ducrau fumait une énorme pipe en écume, à long bout de merisier, dont il était obligé de tenir le fourneau. Il regarda son compagnon et fut assez longtemps avant de murmurer :

« Que voulez-vous dire?

— Rien de particulier. Je pense que nous voilà bien assis par une belle fin de dimanche.

Le cognac est bon. Les pipes tirent bien. Le vieux Gassin, de son côté, doit prendre l'apéritif. Or, mercredi soir, tout ce qui nous préoccupe aura cessé de nous préoccuper. Le problème aura reçu une solution. »

Il parlait rêveusement tandis que Decharme, là haut, à la terrasse, flambait une allumette dont la flamme dansait un instant sur le ciel pâle.

« Alors, voyez-vous, je me demande qui ne sera plus là. »

Ducrau eut un frisson. Il ne put même pas le cacher et il préféra avouer :

« Vous avez une façon de dire cela!

— Où étiez-vous dimanche dernier?

— Ici. Nous y venons tous les dimanches.

— Et votre fils? »

Les traits durcis, Ducrau répondit :

« Il était ici aussi. Il a passé deux heures à arranger le poste de T.S.F., qui n'a pas mieux marché.

— Or, il est mort, déjà enterré. Bébert est mort. C'est pourquoi je pense à ce fauteuil et à celui qui l'occupera dimanche prochain. »

On se voyait mal. L'odeur des deux pipes s'étirait dans la cour. Ducrau eut un haut-le-corps quand quelqu'un descendit de vélo juste en face de la grille et c'est de loin qu'il demanda :

« Qu'est-ce que c'est?

— Pour monsieur Maigret. »

C'était un gamin du pays et, à travers la grille, il tendit une lettre au commissaire.

« On m'a remis ça pour vous près du bureau de tabac.

— Je sais. Merci. »

Ducrau n'avait pas bougé. Les femmes quittaient la terrasse parce qu'elles avaient froid et il était clair que Decharme, debout près de la balustrade, hésitait à se joindre aux deux hommes comme il en brûlait d'envie.

Maigret déchira une première enveloppe à son nom et trouva la lettre écrite un peu plus tôt par Gassin. Elle était adressée à *Mme Emma Chatereau, café des Maraîchers, à Lazicourt (Haute-Marne)*.

« On peut allumer dans le salon, grommela Ducrau qui n'osait pas poser de question.

— J'y vois encore assez. »

Le papier était du papier de bistrot, l'encre violette, l'écriture toute petite au début, deux fois plus grande à la fin.

Chère Emma,

Je t'écris pour te faire savoir que je me porte bien et j'espère que la présente te trouvera de même. Pourtant, je voudrais te prévenir que, s'il arrivait quelque chose, j'aimerais être enterré chez nous, près de notre mère et pas à Charenton comme je l'avais d'abord dit. De même ne faut-il pas continuer à payer pour la tombe. Quant à l'argent qui est à la Caisse d'épargne, tu trouveras les carnets et tous les papiers dans le tiroir du buffet. Tout ça c'est pour toi. Tu pourras enfin faire mettre un étage à ta maison. Pour le reste, tout va bien puisque je sais ce que j'ai à faire.

Ton frère pour la vie.

Maigret, debout, détacha le regard de la petite feuille de papier pour le porter, de bas en haut, sur Ducrau qui feignait de penser à autre chose et qui fumait toujours sa pipe.

« Mauvaises nouvelles ?

— C'est la lettre que Gassin vient d'écrire. »

Ducrau se dominait, croisait et décroisait les jambes, observait de loin son gendre et murmurait enfin, avec un effort pour ne pas trahir son impatience :

« Je peux lire ?

— Non. »

Et Maigret repliait la lettre, la glissait dans son portefeuille ; malgré lui, il avait de brefs regards à la grille derrière laquelle il n'y avait plus qu'un grand trou d'ombre.

« A qui est-ce adressé ?

— A sa sœur.

— A Emma ? Qu'est-ce qu'elle est devenue ? Elle a vécu un moment sur le bateau de son frère, et je crois même que j'ai été amoureux d'elle. Puis elle s'est mariée avec un instituteur de la Haute-Marne qui a dû mourir peu après…

— Elle tient une auberge dans son village.

— Il fait vraiment frais, vous ne trouvez pas ? Cela ne vous ennuie pas de rentrer ? »

Ducrau tourna le commutateur du salon, referma la porte, pensa tirer les volets, puis se ravisa.

« Je ne peux pas savoir ce que Gassin écrit à sa sœur ?

— Non.

— J'ai quelque chose à craindre ?

— Vous le savez mieux que moi. »

Ducrau souriait en tournant dans le salon sans savoir où se mettre et Maigret, familier, alla chercher dans le jardin la bouteille de cognac et les verres.

« Supposez deux hommes, dit-il en se servant à boire. Un qui a déjà tué et qui risque par conséquent de se faire boucler pour le restant de ses jours, sinon pis, et l'autre qui n'a jamais fait de mal à personne. Ils se cherchent comme deux coqs. Quel est, à votre avis, le plus dangereux ? »

Pour toute réponse, l'armateur accentua son sourire épais.

« Reste à savoir, maintenant, qui a pendu Bébert. Qu'en dites-vous, Ducrau ? »

Maigret était toujours cordial, mais il y avait une lourdeur nouvelle dans chaque mot, dans chaque syllabe qu'il laissait tomber, comme si chacune eût été gonflée de sens.

Ducrau avait fini par se caser dans un fauteuil, ses courtes jambes allongées, sa pipe sur la poitrine. Cette pose lui faisait un triple menton cependant que les paupières mi-closes mettaient un volet à son regard.

« Savez-vous à quelle question toute simple nous arrivons ainsi ? Qui, un jour, a abusé de la simplicité d'Aline, et lui a fait un enfant ? »

Cette fois, son compagnon se leva d'une détente, du rouge aux joues.

« Eh bien ? questionna-t-il.

— Eh bien, ce n'est pas vous, bien entendu. Ce n'est pas Gassin non plus, qui s'est toujours cru son père. Ce n'est pas votre fils Jean, qui avait pour elle une amitié passionnée et qui, d'ailleurs...

— Qui ?... Qu'alliez-vous dire ?...

— Rien de méchant. J'ai eu quelques informations sur lui. Dites-moi, Ducrau, après avoir eu votre première fille avec votre femme, vous n'avez pas été malade ? »

Il n'y eut qu'un grognement et Maigret vit un dos devant lui.

« C'est peut-être l'explication. Toujours est-il qu'Aline est simple d'esprit. Quant à votre fils, c'est un enfant maladif, nerveux, d'une sensibilité telle qu'il a des crises d'hystérie. De l'avis de ses camarades, pour qui c'était un sujet de plaisanterie, ce n'était pas tout à fait un homme. De là, cette amitié émue, mais extrêmement pure entre lui et Aline.

— Où voulez-vous en venir ?

— A ceci : si Bébert a été tué, c'est que

c'était lui l'amant! *La Toison d'Or* est souvent amarrée à Charenton pendant des semaines. Gassin passe des soirées dans les bistrots. L'aide-éclusier est un solitaire et, en rôdant autour des péniches, il a aperçu Aline, un soir...

— Taisez-vous! »

Ducrau, le cou violacé, lança sa pipe dans un coin du salon.

« Est-ce vrai?

— Je n'en sais rien.

— Peut-être n'a-t-il même pas eu besoin d'user de la force, car elle n'a pas conscience de ses actes. Et personne ne sait! Jusqu'au jour où Aline accouche... Aline qui a trois hommes autour d'elle... Qui croyez-vous, Ducrau, que Gassin soupçonne?

— Moi! » cria l'autre.

Et en même temps il tressaillit, marcha lourdement vers la porte qu'il ouvrit d'un geste violent. Sa fille était derrière. Il leva la main. Elle poussa un cri. Mais lui, au lieu de frapper, se contenta de rabattre le panneau avec violence.

« Ensuite? »

Il revenait vers Maigret comme une bête dans l'arène.

« J'ai remarqué qu'Aline avait peur de vous et même plus que peur. Gassin a dû avoir la même idée. Alors, du moment que vous rôdiez autour d'elle...

— C'est bien cela. Ensuite?

— Pourquoi un autre personnage n'aurait-il pas cru la même chose, d'autant plus qu'il connaissait votre besoin de toucher à toutes les femmes ?

— Eh bien, dites !

— Votre fils...

— Et après ? »

Il y avait des pas, des voix dans la chambre du haut. C'était Berthe qui pleurait en racontant l'incident à sa mère ou à son mari. Un peu plus tard, la bonne se montra, intimidée.

« Qu'est-ce que c'est ?

— Madame vous demande de monter. »

Il ne trouva rien à répondre. C'était trop beau. Il se contenta de se verser un plein verre de fine qu'il vida d'un trait.

« Où en étiez-vous ?

— Que pour trois personnes au moins vous passez pour un dégoûtant personnage. Aline s'enferme dans sa cabine quand elle vous voit arriver et pleure quand on parle de vous. Son père vous épie et n'attend qu'une preuve pour se venger. Quant à votre fils, il se torture comme les grands nerveux seuls savent le faire. N'a-t-il pas parlé à certain moment d'entrer dans les ordres ?

— Il y a six mois. Qui vous l'a dit ?

— Peu importe. Vous l'écrasez. Vous l'étouffez. Il n'a eu de joie dans sa vie que pendant les trois mois passés, convalescent, sur *La Toison d'Or*.

— Dépêchez-vous ! »

Il s'épongea et se versa encore à boire.

« C'est fini. J'ai expliqué tout au moins son suicide.

— Je voudrais bien savoir comment.

— Quand il a appris que vous aviez été blessé et jeté à l'eau de la péniche, en pleine nuit, il n'a pas eu de doute : c'était Aline qui, révoltée, attaquée peut-être...

— Il n'aurait pas pu m'en parler ?

— Vous a-t-il jamais parlé ? Votre fille vous parle-t-elle ? Puisqu'on lui refusait le cloître et qu'il se considérait lui-même comme une épave, il a voulu faire au moins un beau geste. Ce sont des choses dont les adolescents rêvent dans les mansardes. Par bonheur, ils ne les réalisent pas toujours. Votre fils a réalisé. Il sauvait Aline ! Il se déclarait coupable ! Vous ne comprenez peut-être pas, mais tous les jeunes gens d'un certain âge comprendront...

— Et vous ? Comment avez-vous compris ?

— Il n'y a pas que moi. Pensez que Gassin lui-même, pendant qu'il traînait de bar en bar, ivre mort, sans parler, s'acharnait sur le même problème. Hier au soir, il n'est pas rentré à son bord. Il a laissé Aline seule. Il a pris une chambre en face. »

Ducrau, vivement, alla soulever le rideau, mais on ne voyait rien, à cause de la lumière du salon.

« Vous n'avez pas entendu ?

145

— Non.

— Qu'est-ce que vous allez faire ?

— Je n'en sais rien, dit simplement Maigret. Quand deux hommes vont se battre, on essaie de les séparer. Mais la loi ne me permet pas d'intervenir alors que deux hommes sont prêts à se tuer. Elle me permet d'arrêter un assassin... »

Ducrau tendait le cou.

« Pour cela, il faut des preuves !

— Si bien que... ?

— Rien ! Mercredi à minuit, je n'appartiendrai plus à la police. Vous me l'avez rappelé tout à l'heure. Vous n'avez pas de tabac gris, par hasard ? »

Il en prit dans un pot de grès qu'on lui désignait, et, après avoir bourré sa pipe, emplit sa blague. On frappait à la porte. C'était Decharme, qui entra sans attendre de réponse.

« Je vous demande pardon. Ma femme me prie de l'excuser si elle ne descend pas dîner. Elle est un peu souffrante. C'est son " état "... »

Il ne s'en allait pas, cherchait la place où il allait s'installer et s'étonnait devant les verres de cognac.

« Vous ne voulez pas plutôt des apéritifs ? »

Par miracle, Ducrau ne le rabrouait pas, ne semblait même pas s'apercevoir de sa présence. Il avait ramassé sur le tapis sa pipe qui n'était pas cassée. Il n'y avait qu'un éclat blanc dans l'écume et il y passait son doigt enduit de salive.

« Ma femme est là-haut ?

— Elle vient de descendre à la cuisine.

— Vous permettez un instant, commissaire? »

Ducrau avait l'air de s'attendre à ce que le commissaire ne permît pas, mais il n'en fut rien.

« Un drôle de bonhomme! » soupira Maigret une fois la porte refermée. Et Decharme, qui était mal à l'aise dans le fauteuil où il avait replié son grand corps, mais qui n'osait pas se lever, toussota, murmura :

« Il est parfois étrange, vous l'avez sans doute remarqué. En somme, il a ses bons et ses mauvais moments. »

Maigret, comme s'il eût été chez lui, ferma les rideaux, laissa une mince fente par laquelle il observait parfois la cour.

« Il faut beaucoup de patience...

— Vous en avez!

— Par exemple, pour le moment, ma situation est assez délicate. Je suis officier, vous le savez. Il est évident que l'Armée ne peut pas être mêlée à certaines choses, à certains drames qui...

— Drames qui?... répéta Maigret, impitoyable.

— Je ne sais pas. C'est un conseil que je vous demande. Vous avez une situation officielle, vous aussi. Or, votre présence et certains bruits...

— Quels bruits?

— Je ne sais pas. Mais supposez... C'est

horriblement difficile à dire. Ce n'est qu'une supposition, n'est-ce pas? Supposez qu'un homme qui a une certaine situation se soit mis dans une position... une position...

— Un verre de fine?

— Merci. Jamais d'alcool! »

Il se cramponnait quand même. Il était décidé à tout et il n'improvisait pas! Tout son discours était prêt!

« Quand un officier a failli, il est de tradition que ses camarades eux-mêmes lui montrent son devoir et le laissent seul avec un revolver. Cela évite le scandale des débats publics et...

— De qui parlez-vous?

— De personne. Je ne puis pourtant m'empêcher d'être inquiet. Et je venais vous demander, en définitive, de me rassurer ou de me dire si nous devons nous attendre à... »

Il ne voulait quand même pas préciser davantage. Il se levait, soulagé. Il souriait en attendant la réponse.

« Vous me demandez si votre beau-père est un assassin et si je vais l'arrêter? »

Il n'avait pas paru s'inquiéter un seul instant de l'absence de Ducrau qui rentrait le visage plus frais, les cheveux humides aux tempes comme ceux d'un homme qui vient de se laver la figure.

« Nous allons le lui demander. »

Maigret fumait à grandes bouffées, tenait son verre de fine à la main et il évitait de regarder

Decharme qui était devenu blême mais qui n'osait pas ouvrir la bouche.

« Voilà, Ducrau, votre gendre qui me demande si je pense que vous êtes un assassin et si j'ai l'intention de vous arrêter. »

On dut l'entendre d'en haut, car les pas s'arrêtèrent net au-dessus des têtes. Ducrau, malgré son sang-froid, en avait la respiration coupée.

« C'est lui qui demande... si je...

— N'oubliez pas qu'il est officier. Il me rappelait justement la coutume en pareil cas. Quand un officier a failli, comme il dit avec beaucoup d'élégance, ce sont ses meilleurs amis qui le laissent seul avec son revolver. »

Le regard de Ducrau suivait obstinément Decharme, qui marchait comme sans but vers le fond de la pièce.

« Ah! Il a dit... »

Pendant quelques secondes, on put croire que les choses allaient mal tourner. Mais les traits de Ducrau se détendaient peu à peu, peut-être sous le coup d'un effort héroïque. Il souriait. Le sourire s'élargissait. Il riait! Il riait même en se tapant sur les cuisses.

« C'est crevant, hurla-t-il enfin, des larmes aux yeux à force de rire. Ah! mon petit Decharme! Quel charmant garçon tu fais! Dites donc, mes enfants, on va se mettre à table. Les officiers qui... quand un autre a failli... Sacré

Decharme! Et dire qu'on va bouffer l'un en face de l'autre... »

La chemise de Maigret lui collait au corps mais on ne pouvait s'en douter en le voyant vider avec soin sa pipe dans le cendrier et la glisser dans son étui avant de la remettre en poche.

10

LA servante apporta la soupière au moment où Ducrau, avec un soupir d'aise, glissait entre son faux col et sa chair un grand coin de serviette. Il n'y avait pas de feu et Mme Ducrau, frileuse, avait jeté sur ses épaules une mantille de tricot noir qui avait l'air d'un éteignoir.

La place de Berthe restait vide, juste en face de l'armateur qui ordonna à la servante :

« Allez dire à ma fille de descendre. »

Il se servit de soupe, posa à côté de son assiette un énorme quignon de pain. Comme sa femme reniflait, il fronça deux ou trois fois les sourcils et s'impatienta enfin.

« Tu es enrhumée ?

— Je crois que oui », balbutia-t-elle en détournant la tête pour ne pas laisser voir qu'elle était sur le point de pleurer à nouveau.

Quant à Decharme, il écoutait les bruits d'en haut, tout en maniant sa cuiller avec élégance.

« Eh bien, Mélie ?

— Mme Berthe fait répondre qu'elle ne peut pas descendre. »

Ducrau aspirait bruyamment sa soupe.

« Va lui répéter, toi, que je veux qu'elle descende, malade ou non. Compris ? »

Decharme quitta la pièce et Ducrau parut chercher autour de lui quelqu'un à attaquer encore.

« Mélie, ouvre les rideaux. »

Il faisait face aux deux fenêtres qui dominaient la cour, la grille, la Seine. Pesant sur la table de tout son torse, il mangeait son pain en regardant dehors, dans l'épaisseur de la nuit. A l'étage au-dessus, il y avait des bruits précipités, des chuchotements, des sanglots. Quand Decharme reparut, ce fut pour annoncer :

« Elle vient. »

Et, en effet, sa femme entra quelques instants plus tard. Elle n'avait pas pris la peine de cacher sous de la poudre les rougeurs luisantes de son visage.

« Mélie ! » appela Ducrau.

Il ne s'occupait pas de Maigret, ni des autres. On eût dit qu'il menait une vie à part, qu'il suivait, sans s'inquiéter du reste, un plan bien établi.

« Servez la suite. »

Comme elle se penchait sur la table pour saisir la soupière, il lui tapota la croupe. Si la servante de Charenton était jeune, celle-ci n'avait pas d'âge, pas d'entrain, pas de charme.

« Au fait, Mélie, quand avons-nous couché ensemble pour la dernière fois ? »

Elle sursauta, essaya en vain de sourire, regarda son patron, puis sa patronne avec angoisse. Ducrau, lui, haussait les épaules et souriait avec pitié.

« Encore une qui croit que ça a de l'importance ! Vous pouvez aller. C'était ce matin, en choisissant les vins dans la cave. »

Il ne put quand même pas s'empêcher de jeter un coup d'œil à Maigret pour juger de l'effet produit, mais le commissaire paraissait à cent lieues de ces histoires. Mme Ducrau n'avait pas réagi. Elle s'était tassée un peu plus sous son éteignoir de tricot et fixait la nappe avec application, tandis que sa fille tapotait son nez rouge de son mouchoir.

« Vous avez vu ? » demanda l'armateur à Maigret en désignant, du menton, la cour et la grille.

Il y avait un seul bec de gaz, qui éclairait un petit cercle juste à la poterne. Or, dans ce cercle, se dressait une silhouette immobile. C'était à peine à dix mètres. L'homme, appuyé à la grille, ne devait rien perdre de ce qui se passait dans la salle à manger inondée de lumière.

« C'est lui ! » affirma Ducrau.

Maigret, qui avait de très bons yeux, devina une seconde silhouette un peu en arrière, sur la berge de la Seine. La servante, raidie par la peur, apportait de la viande et de la purée de pommes de terre pendant que le commissaire, qui avait tiré un carnet de sa poche et en avait arraché une feuille de papier, y traçait quelques mots.

« Vous permettez que j'use de votre domestique ? Merci. Mélie, je voudrais que vous traversiez la cour. Passé la grille, vous verrez d'abord un vieux bonhomme et vous ne vous en occuperez pas. A quelques mètres de lui, vous apercevrez une autre personne, un homme d'une trentaine d'années. Vous lui remettrez ce billet et vous attendrez la réponse. »

La fille osait à peine bouger. Ducrau découpait le gigot. Mᵐᵉ Ducrau, qui était mal placée, faisait des efforts pour voir au-dehors.

« Saignant, commissaire ? »

Sa main était sûre, son regard sans inquiétude et pourtant, de son attitude, se dégageait quelque chose de pathétique qui dépassait le cadre de ce dîner et les personnages attablés.

« Tu as de l'argent de côté ? demanda-t-il soudain à Decharme.

— Moi ?... ne put que répondre celui-ci, abasourdi.

— Écoute..., commença sa fille qui tremblait d'impatience ou de colère.

— Toi, je te conseille de te taire. Et, surtout, reste assise, je t'en prie. Si je demande à ton mari s'il a des économies, c'est que j'ai mes raisons. Réponds !

— Bien entendu, je n'en ai pas.

— Tant pis! Le gigot est ignoble. C'est toi qui l'as cuit, Jeanne?

— C'est Mélie. »

Son regard regagna la fenêtre mais il ne pouvait pas voir grand-chose dans l'ombre, à peine la tache blanche du tablier de la servante qui revenait et qui, bientôt, remit un papier à Maigret. Il y avait des gouttelettes sur ses cheveux.

« Il pleut?

— Tout fin, oui. Cela commence. »

Lucas avait répondu sur le papier même du commissaire, si bien qu'on lisait de l'écriture de ce dernier : *Est-il armé?* Et en travers, un seul mot : *Non.*

On eût dit que Ducrau lisait à travers la feuille, car il demanda :

« Armé? »

Maigret hésita, hocha affirmativement la tête. Tout le monde avait entendu. Tout le monde avait vu. Mme Ducrau avalait sans la mâcher une bouchée de viande. Ducrau lui-même, qui crânait, épanouissait sa poitrine, mastiquait avec un faux appétit, avait eu un bref tressaillement.

« Nous parlions de tes économies... »

Maigret comprit qu'il était lancé. Il avait trouvé son atmosphère. Désormais rien ne l'arrêterait et il commença par repousser son assiette pour s'accouder plus solidement.

« Tant pis pour toi! Suppose que tout à

l'heure, ou demain, ou n'importe quand, je vienne à crever. Tu te dis que tu es riche, que je n'ai pas le droit, même si je le voulais, de déshériter ma femme et ma fille... »

Sa chaise était renversée en arrière comme celle d'un convive qui, à la fin du dîner, raconte des histoires.

« Or, je vous affirme, moi, que vous n'aurez pas un sou! »

Sa fille l'observait froidement, avec la volonté de comprendre, tandis que son mari mangeait d'un air appliqué. Maigret, qui tournait le dos à la fenêtre, pensait que, de la place de Gassin, sous la pluie fine, la salle à manger claire devait apparaître comme un havre de quiétude familiale.

Ducrau, cependant, poursuivait, tandis que son regard sautillait d'un visage à l'autre.

« Vous n'aurez pas un sou parce que dans ce but j'ai signé un contrat qui ne sera valable qu'à ma mort par lequel je cède toutes mes affaires à la Générale. Quarante millions tout rond! Seulement, ces quarante millions ne sont payables que dans vingt ans. »

Il rit, mais il n'avait pas la moindre envie de rire, puis il se tourna vers sa femme.

« Tu seras morte, toi, ma vieille!

— Je t'en supplie, Émile. »

Bien qu'elle se tînt droite et digne, on sentait qu'elle était à bout de forces, que d'un moment à l'autre elle pouvait osciller et tomber de sa chaise.

Maigret guetta, à cet instant, une trace d'émotion, d'hésitation chez Ducrau, mais celui-ci, au contraire, se durcit encore, peut-être parce qu'il était bien décidé à ne pas s'attendrir.

« Tu me conseilles encore de disparaître discrètement ? demanda-t-il à son gendre dont la mâchoire tremblait.

— Je vous jure...

— Ne jure rien, va ! Tu sais bien que tu es une canaille, une vilaine petite canaille honnête, ce qui est le pire de tout. Ce que je me demande, c'est qui est le plus canaille, de ma fille ou de toi. Veux-tu que nous fassions un pari ? Voilà des semaines que vous nous jouez la comédie avec le gosse à naître. Eh bien, si cela vous amuse, je vais appeler un médecin et je vous donne cent mille francs si Berthe est vraiment enceinte ! »

Mme Ducrau ouvrit de grands yeux qui entrevoyaient soudain la vérité, mais sa fille continua à fixer Ducrau avec un calme haineux.

« Voilà ! conclut celui-ci en se levant, la pipe aux dents. Une, deux, trois ! Une vieille bonne femme, une fille et un gendre ! A peine une toute petite tablée. Et c'est tout ce que j'ai, ou du moins ce que je devrais avoir à moi, avec moi... »

Maigret, indifférent, reculait un peu sa chaise et bourrait sa pipe.

« Maintenant, je vais vous dire quelque chose, devant le commissaire, car peu importe. Il est tout seul, puisque des parents ne peuvent pas servir de témoin : c'est toujours ça!... Je suis un assassin! J'ai tué, avec ces deux mains-là... »

Sa fille sursauta. Son gendre se leva en balbutiant :

« Je vous en prie... »

Sa femme, elle, ne bougea pas. Peut-être n'entendait-elle plus? Elle ne pleurait pas. Elle avait le front posé sur ses mains jointes.

Ducrau marchait à pas lourds. Il allait d'un mur à l'autre en fumant sa grosse pipe.

« Vous voulez savoir pourquoi et comment j'ai zigouillé le type? »

Personne ne le lui demandait. C'était lui qui avait besoin de parler sans abandonner son attitude menaçante. Et brusquement, il se rassit juste en face de Maigret, lui tendit une main par-dessus la table.

« Je suis plus costaud que vous, n'est-ce pas? N'importe qui l'affirmerait en nous voyant tous les deux. Pendant vingt ans, je n'ai rencontré personne pour me retourner le poignet. Tendez votre main! »

Il la serra avec une telle frénésie que Maigret sentit l'envahir toute la fièvre poignante de son compagnon. Ce contact ne déchaînait-il pas en retour l'émotion de Ducrau et la voix de celui-ci ne devenait-elle pas plus chaude?

« Vous connaissez le truc? C'est à qui rabattra

le poing de l'autre sur la table. Défense de bouger le coude. »

Les veines de son front saillaient, ses joues se violaçaient et Mme Ducrau le regardait comme si elle n'eût pensé qu'à la congestion possible.

« Vous ne donnez pas toute votre force! »

C'était vrai. Quand Maigret la donna, il fut étonné de sentir fondre la résistance de l'adversaire dont les muscles, à la moindre poussée, s'étaient relâchés. La main toucha la table et Ducrau resta un moment ainsi, le bras mou.

« C'est à cause de cela que tout est arrivé... »

Il marcha vers la fenêtre qu'il ouvrit et l'haleine humide du fleuve pénétra dans la pièce.

« Gassin! Hé! Gassin!... »

Quelque chose bougea, près du bec de gaz, mais on n'entendit aucun pas sur le gravier de la cour.

« Je me demande ce qu'il attend. Au fond, il est le seul à m'avoir aimé! »

En disant cela, il fixait Maigret comme pour lui dire :

« Car vous, vous n'avez pas voulu! »

Il n'y avait que du vin rouge sur la table et il s'en versa deux pleins verres coup sur coup.

« Écoutez bien ceci : peu importe que je donne des détails, car demain, si je veux, je nierai tout. Un soir, je suis arrivé sur la péniche de Gassin...

— Pour rejoindre ta maîtresse », intervint sa fille.

Et lui, en haussant les épaules, de laisser tomber, avec un accent indéfinissable :

« Pauvre imbécile!... Je disais, Maigret, qu'un soir, j'arrive, écœuré, parce que ces deux crapules que vous voyez ici avaient essayé une fois de plus de m'entôler. Je m'étonnais un peu de ne pas voir en entier la lumière du hublot. Je m'approche et qu'est-ce que je trouve : un saligaud quelconque qui, à plat ventre sur le pont, regardait ma fille se déshabiller... »

En disant ma *fille*, il les défiait tous du regard, mais ils étaient l'un et l'autre sans résonance.

« Je me suis baissé, tranquillement. Je l'ai saisi par un poignet et j'ai serré, j'ai tourné, je l'ai forcé à se tordre comme une anguille au point que son corps était déjà à moitié de l'autre côté du bord... »

Il s'était campé une fois encore devant la fenêtre et il parlait à la nuit humide, si bien qu'il fallait faire un effort pour l'entendre.

« Jusqu'alors, j'avais toujours eu les plus costauds. Eh bien, ça a raté! J'ai molli! L'animal a cessé de se tortiller! Il a pris quelque chose dans sa poche et soudain j'ai senti un choc dans le dos. Le temps de reprendre son équilibre et d'un coup d'épaule il me faisait basculer dans l'eau... »

Le plus impressionnant, c'était peut-être

l'immobilité de sa femme. Il faisait froid. Par la fenêtre ouverte, ce n'était pas seulement de la fraîcheur qui pénétrait mais des ombres, des frissons, de la fièvre, des menaces.

« Gassin! Hé! vieux! »

Maigret se retourna et vit Gassin appuyé à la grille qui n'était pas fermée à clef.

« Quel type! grommela Ducrau en revenant vers la table et en se versant du vin. Il a eu cent fois le temps de tirer. Il peut même s'approcher autant qu'il veut... »

Des gouttes de sueur révélaient que, pendant les minutes précédentes, il n'avait pas cessé d'avoir peur! Peut-être même n'était-ce que par peur qu'il avait ouvert la fenêtre et qu'il s'était tenu devant?

« Mélie!... Mélie! nom de Dieu!... »

Elle se montra enfin. Elle avait retiré son tablier et elle avait un chapeau sur la tête.

« Que te prend-il?

— Je m'en vais.

— Avant de t'en aller, va me chercher le vieux qui est à la grille. Compris? Dis-lui que je veux absolument lui parler. »

La servante ne bougea pas.

« File!

— Non, monsieur.

— Tu refuses de faire ce que je te dis?

— Je n'irai pas, monsieur. »

Elle en était livide, cette fille maigre, sans

161

poitrine, sans féminité, sans charme, qui affrontait enfin Ducrau.

« Tu refuses ? »

Il marchait sur elle la main levée.

« Tu refuses ?

— Oui!... oui!... oui!... »

Il ne frappa pas. Dégonflé, il passa devant elle comme sans la voir, ouvrit la porte et on l'entendit qui traversait la cour. Sa fille n'avait pas bougé. Son gendre se penchait pour voir. Mais sa femme s'était levée, lentement, et elle s'avançait sans bruit vers la fenêtre. Quant à Maigret, il eut l'air de profiter de l'inattention pour se verser à boire et il n'alla à la fenêtre que quand la grille grinça.

Les deux hommes s'étaient rejoints. On les voyait, si disproportionnés de corpulence, à un mètre l'un de l'autre. On n'entendait pas ce qu'ils disaient. Une voix plaintive, fluette comme une voix d'enfant, fit tout près de Maigret :

« Je vous en supplie ! »

C'était Mme Ducrau qui regardait la grille et qui adressait à Maigret cette prière vague et haletante. Ils ne se battaient pas. Ils parlaient. Ils entraient dans la cour. Ducrau avait la main sur l'épaule de son compagnon et semblait le pousser en avant. Avant qu'ils eussent atteint la maison, Decharme eut le temps de demander à Maigret :

« Qu'avez-vous décidé ? »

Et le commissaire faillit bien lui répondre comme un Ducrau :

« Merde ! »

**

⋆⋆⋆

Le vieux faisait de petits yeux, à cause de la lumière. Ses épaules mouillées luisaient et il tenait sa casquette à la main, peut-être à son insu, parce qu'il entrait dans une salle à manger.

« Assieds-toi ! »

Il s'assit sur le bord d'une chaise et garda sa casquette sur ses genoux, évita de regarder autour de lui.

« Un coup de rouge avec moi ? Tais-toi ! Tu sais bien ce que je t'ai dit : on te laissera faire ensuite tout ce que tu voudras. Pas vrai, commissaire ? Car je tiens toujours parole, moi ! »

Il toucha de son verre le verre de Gassin et but le vin d'un trait, avec une grimace.

« C'est dommage que tu aies manqué le début. »

Il ne parlait plus qu'au marinier, avec même des regards en coin à Maigret.

« Est-ce vrai qu'auparavant je mettais n'importe qui par terre avec un seul poing ? Dis-le, toi !

— C'est vrai. »

Et c'était hallucinant d'entendre ainsi la voix du vieux, d'une douceur, d'une docilité surprenantes.

« Tu te souviens, quand, à Châlons, on s'est

battu avec les Belges? L'autre jour, c'est le type qui m'a eu, en traître, il est vrai, grâce à son couteau. Tu n'es pas au courant, mais ça ne fait rien. J'étais venu comme ça, sur ton bateau, et je l'ai trouvé à plat ventre, qui regardait par le hublot la môme se déshabiller... »

Il aimait le répéter car cela ranimait sa rage.

« Tu as compris, maintenant? »

Et Gassin haussa les épaules pour dire qu'il avait compris depuis longtemps.

« Écoute-moi, vieux. Non, bois d'abord un coup. Vous aussi, commissaire. Quant aux autres, ça n'a pas d'importance, du moment qu'ils sont là... »

Mme Ducrau, qui ne s'était pas rassise, restait collée au mur, à demi cachée par le rideau. Decharme, lui, se tenait accoudé à la cheminée tandis que sa femme, seule, demeurait à table. On entendait quelqu'un aller et venir dans la maison. Cela impatienta Ducrau qui ouvrit la porte et on aperçut la servante qui faisait sa valise dans le corridor.

« Non, ma vieille! Filez si cela vous plaît! Filez ou crevez, faites n'importe quoi, mais, de grâce, foutez-nous la paix!

— Je voulais dire à monsieur...

— Il n'y a pas de monsieur. Tu veux du fric? En voilà, je ne sais pas combien. Au revoir! Et qu'un tramway t'écrabouille... »

Il en souriait lui-même. Cela lui faisait du bien. Il attendit que la fille eût disparu en cognant sa valise à la porte pour refermer celle-ci lui-même, mettre le verrou et rejoindre ses compagnons. Entre-temps, Gassin n'avait pas bougé.

« En voilà toujours une de partie! Qu'est-ce que nous disions? Ah! on parlait de la petite. Si tu avais été là, est-ce que tu n'aurais pas fait comme moi? »

Il y avait de l'eau dans les yeux du vieux et sa pipe était éteinte. Maigret le regardait intensément et, à cet instant même, il pensait :

« Si, dans une ou deux minutes, je n'ai pas trouvé, il arrivera des choses épouvantables dont je serai responsable! »

Car tout ce qui se passait en apparence n'existait pas. Il y avait autre chose, un autre drame en dessous. L'un parlait pour parler et l'autre n'écoutait pas. C'était celui-ci que Maigret observait et il n'y avait même pas de regard à surprendre.

Était-il possible que Gassin fût inerte à un pareil moment? Il n'était même pas ivre! Ducrau le savait si bien qu'il suait d'abondance.

« Pour ce coup-là, je ne l'aurais pas étranglé. Mais il y a mon fils qui en somme est mort à cause de lui, et alors... »

Il s'était campé devant Berthe.

« Qu'est-ce que tu as à me regarder comme ça? Tu penses toujours à la galette que tu n'auras pas? Tu entends, Gassin? Je leur fais la blague, en mourant, de ne pas leur laisser un sou ! »

Maigret, soudain, s'était mis en marche, lentement, sans but apparent, arpentant la pièce en tous sens.

« ... Car je vais te dire une bonne chose : ta femme, la mienne, tout ça, ça ne compte pas ! Ce qui compte, par exemple, c'était nous deux quand... »

Gassin tenait son verre de la main gauche. Sa main droite n'avait pas quitté la poche de son veston. Il n'avait pas d'arme, c'était certain, car Lucas n'était pas homme à se tromper.

D'un côté du vieux, à deux mètres, il y avait Mme Ducrau, et de l'autre côté il y avait Berthe.

Ducrau avait interrompu sa phrase en voyant Maigret immobile derrière le marinier. La suite fut si rapide que personne ne comprit. Le commissaire se pencha en avant, encerclant les bras et la poitrine du vieux Gassin de ses bras puissants. La lutte fut courte. Un pauvre bonhomme qui essayait en vain de se dégager ! Tandis que Berthe criait d'effroi, que son mari faisait deux pas en avant, la main de Maigret fouillait la poche de l'adversaire et en retirait quelque chose.

C'était fini ! Gassin, libre de ses mouvements, reprenait son souffle. Ducrau attendait de voir s'ouvrir la main de Maigret et le commissaire, le front couvert de sueur froid, restait un moment à se remettre.

166

« Vous ne courez aucun danger », dit-il enfin.

Il était derrière Gassin, qui ne le voyait pas. Quand Ducrau s'approcha de lui, Maigret se contenta d'entrouvrir sa main droite, qui contenait une cartouche de dynamite semblable à celles dont on se sert dans les carrières.

« Continuez!... » disait-il en même temps.

Alors Ducrau, les mains aux entournures du gilet, la voix forte, mais rauque :

« Je disais, mon vieux... »

Il sourit. Il rit. Il dut s'asseoir.

« C'est idiot!... »

C'était idiot, en effet, pour un homme comme lui, de sentir ainsi, après coup, ses jambes se dérober. Il est vrai que Maigret, accoudé à la cheminée près de Decharme, attendait que se dissipât un désagréable vertige.

11

LE bruissement de la pluie, au-delà de la fenêtre ouverte, faisait penser au calme arrosage d'un potager et c'étaient des bouffées de terreau mouillé qui pénétraient dans la salle à manger avec chaque souffle d'air.

De loin, pour le brigadier Lucas, par exemple, le spectacle devait être affolant de ces êtres figés dans la lumière de la salle à manger comme dans le cadre d'un tableau de maître.

Ducrau fut le premier à se redresser en soupirant :

« Et voilà, mes enfants ! »

Cela ne voulait rien dire, mais c'était déjà une détente. Il remuait. Il rompait avec la stagnation générale. Il regardait autour de lui avec l'étonnement de quelqu'un qui s'attendait à trouver quelque chose de changé.

Or, rien n'était changé. Chacun était à sa place, immobile et buté. Au point que les pas de Ducrau, qui marcha jusqu'à la porte, apparurent comme un vacarme !

« Cette idiote de Mélie est partie... » grommela-t-il en revenant.

Et, tourné vers sa femme :

« Jeanne, tu devrais aller préparer du café. »

Elle sortit. La cuisine devait être toute proche, car on entendit presque aussitôt le bruit du moulin et Berthe se leva pour desservir.

« Voilà!... » répéta Ducrau, qui s'adressait surtout à Maigret.

Son regard circulaire donnait son sens à ce mot :

« Le drame est fini. Nous nous retrouvons en famille. On moud du café. On heurte des tasses et des assiettes... »

Il était mou, maintenant, et vide, et triste. En homme qui ne sait que faire, il prit sur la cheminée la cartouche que Maigret y avait posée et en regarda la marque, puis il se tourna vers Gassin.

« C'est de chez moi, pas vrai? De la carrière de Venteuil? »

Le vieux fit signe que oui. Ducrau rêvait sur la cartouche et expliquait :

« Nous en avions toujours à bord, tu te souviens, qu'on faisait exploser dans des endroits bien poissonneux! »

Il remit la cartouche à sa place. Il n'avait pas envie de s'asseoir, pas envie non plus de rester debout. Peut-être avait-il envie de parler, mais il ne savait pas au juste que dire.

169

« Tu comprends, Gassin? » soupira-t-il enfin en se campant à un mètre du marinier.

Celui-ci fixait sur lui le regard de ses petits yeux morts.

« Ou plutôt, tu ne comprends pas, mais ça ne fait rien. Regarde-les! »

Il désignait sa femme et sa fille qui, comme des fourmis noires, servaient le café. La porte était restée ouverte et on entendait le chuintement du réchaud à gaz. La maison était grande, pourtant, presque somptueuse, mais on eût dit que la famille l'avait réduite à sa taille.

« Ça a toujours été comme ça! Je les traîne tous à la force du poignet depuis des années et des années. Puis, pour me changer les idées, je vais au bureau et je gueule sur les crabes!... Puis... Merci. Pas de sucre. »

C'était la première fois qu'il parlait à sa fille sans la rudoyer et elle le regarda avec surprise. Elle avait les yeux gonflés, les joues marbrées de rouge.

« Tu es belle, va! Et tu sais, Gassin, toutes les femmes sont comme ça, à un moment ou l'autre. Voilà la vérité! Reste calme. On est en famille. Je t'aime bien. Il faudrait qu'on puisse une fois pour toutes... »

Machinalement peut-être, Mme Ducrau avait pris un tricot et, assise dans un coin, elle maniait les longues aiguilles d'acier. Decharme tournait sa cuiller dans sa tasse.

« Sais-tu ce qui m'a le plus embêté dans la

vie? C'est encore d'avoir couché avec ta femme! C'était idiot, d'abord. Je ne sais même pas pourquoi je l'ai fait. Puis, après, je n'étais plus le même avec toi. Je te voyais de ma fenêtre, sur ton bateau et elle aussi et la gosse... Dis donc! La vérité, c'est que ta femme elle-même n'a jamais pu dire à qui elle est. Peut-être à moi, peut-être à toi... »

Comme Berthe poussait un profond soupir, il la regarda durement. Cela ne la regardait pas! Il ne s'inquiétait ni d'elle, ni de sa femme!

« Est-ce que tu comprends, vieux? Alors, dis quelque chose. »

Il tournait autour de Gassin, sans oser le regarder et il laissait de grands silences entre chaque phrase.

« Au fond, tu as encore été le plus heureux des deux! »

Malgré la fraîcheur de la nuit, il avait chaud.

« Veux-tu que je te rende la cartouche? Moi, tu sais, je me fous de sauter. Mais il faut que quelqu'un reste avec la petite, là-bas... »

Son regard tomba sur Decharme qui fumait une cigarette et tout le mépris possible à un homme alourdit ses prunelles tandis qu'il laissait tomber :

« Ça t'intéresse? »

Puis, comme l'autre ne trouvait rien à répondre :

« Tu peux rester! Tu ne me gênes pas plus

que la cafetière, sans compter qu'après tout tu n'es même pas capable d'être méchant. »

Il avait pris une chaise par le dossier et il osait enfin la poser en face du vieux, s'asseoir, toucher le genou de Gassin.

« Alors ? Tu ne crois pas qu'on est à peu près tous au même point ? Dites-moi, commissaire, qu'est-ce que je risque pour Bébert ? »

On en parlait comme, après dîner, en famille, on eût parlé des prochaines vacances, tandis que les aiguilles à tricoter cliquetaient en cadence.

« Vous vous en tirerez peut-être avec deux ans, peut-être même les jurés vous accorderont-ils le sursis ?

— Je n'en ai pas besoin. Je suis fatigué. Deux ans de tranquillité, c'est bien. Et après ? »

Sa femme leva la tête, mais n'alla pas jusqu'à le regarder.

« Après, Gassin, je prendrai un petit chaudron, le plus petit, comme l'*Aigle I*... »

Et, la gorge soudain serrée :

« Dis-moi quelque chose, nom de Dieu ! Tu ne comprends pas encore qu'il n'y a plus rien d'autre qui compte ?

— Qu'est-ce que tu veux que je te dise ? »

Le vieux ne savait pas non plus. Il était abruti. Rien n'est plus déroutant qu'un drame qui fait long feu. Au point que, du coup, il reprenait ses allures timides et restait assis comme un visiteur pauvre, sans oser bouger.

Ducrau lui secouait les épaules.

« Tu vois! On fera peut-être encore quelque chose! Demain, tu partiras avec *La Toison d'Or*. Puis, un beau jour, au moment où tu t'y attendras le moins, tu entendras crier ton nom, d'un remorqueur. Ce sera moi, en salopette! Les types n'y comprendront rien du tout. On dira que j'ai fait des mauvaises affaires. Ce n'est pas vrai! La vérité, c'est que je suis fatigué de traîner tout ça après moi... »

Il éprouva le besoin de défier Maigret du regard.

« Vous savez, je pourrais encore nier et il est probable que vous ne trouveriez pas de preuve! C'est ce que je pensais faire. Si vous saviez ce que j'ai pu penser! Quand je me suis trouvé blessé chez moi, avec la police sur pied, je me suis promis d'en profiter pour faire enrager tout le monde. »

Malgré lui, il se tourna un instant vers sa fille et son gendre.

« C'était une occasion! »

Il se passa la main sur le visage.

« Gassin! » cria-t-il, changeant d'idée, les yeux pétillants de malice.

Et, comme le vieux le regardait :

« C'est tout? Tu ne m'en veux pas? Tu sais, si tu veux ma femme à la place... »

Il avait envie de pleurer, mais c'était impossible. Sûrement avait-il aussi envie d'embrasser son camarade. Il marcha vers la fenêtre qu'il

referma, tira les rideaux avec des gestes métho-
diques de petit bourgeois.

« Écoutez, mes enfants. Il est onze heures ? Je
propose qu'on dorme tous ici et, demain matin,
on s'en ira ensemble... »

C'était surtout au commissaire que cela
s'adressait, ainsi que la suite :

« Ne craignez rien. Je n'ai pas envie de
m'enfuir, au contraire! D'ailleurs, vous avez là-
bas un inspecteur. Jeanne! sers-nous un petit
grog avant d'aller nous coucher... »

Elle obéit comme une servante, lâchant ses
aiguilles. Ce fut Ducrau qui gagna la porte de la
cour et cria dans la nuit humide :

« Monsieur l'inspecteur! Venez, votre patron
vous demande... »

Lucas était mouillé, ahuri, inquiet.

« Commencez par prendre un verre avec
nous. »

Si bien qu'en fin de soirée ils étaient tous
debout autour de la table, un verre fumant à la
main. Quand Ducrau tendit le sien pour trin-
quer avec Gassin, celui-ci ne tressaillit pas et
but bruyamment.

« Il y a des draps dans les lits ?

— Je ne crois pas, dit Berthe.

— Va en mettre. »

Un peu plus tard, il confiait à Maigret :

« Je n'en peux plus de fatigue, mais quand
même, ça va mieux! »

Les femmes trottinaient d'une chambre à

l'autre, faisant les lits, cherchant une chemise de nuit pour chacun. Maigret, qui avait mis la cartouche dans sa poche, dit à Ducrau :

« Donnez-moi votre revolver et jurez-moi qu'il n'y en a pas d'autre dans la maison.

— Je le jure. »

D'ailleurs, l'atmosphère n'était plus au drame. C'était plutôt l'atmosphère d'une maison mortuaire après l'enterrement et le sentiment qui dominait était la lassitude. Une fois encore, l'armateur s'approcha de Maigret et ce fut pour lui dire, en lui désignant l'ensemble de la maison :

« Vous voyez ! Même un soir comme celui-ci, ils parviennent à faire quelque chose de sordide ! »

Ses pommettes étaient plus rouges que d'habitude. Il devait avoir la fièvre. Il gravit l'escalier le premier, pour montrer le chemin. Des deux côtés d'un couloir s'alignaient des chambres quelconques, meublées à peu près comme des chambres d'hôtel. Ducrau désigna la première.

« C'est la mienne. Vous le croirez si vous voulez : je n'ai jamais pu dormir sans ma femme. »

Celle-ci avait entendu. Elle cherchait des pantoufles, pour Maigret, dans une armoire et son mari lui donna une bourrade en disant :

« Ma pauvre vieille ! Allons ! je crois que je te ferai une petite place sur le chaudron. »

★*★
★

Quand le jour commença à se lever, Maigret était accoudé à sa fenêtre, tout habillé, les épaules serrées dans une couverture, car la nuit avait été humide. Les graviers de la cour étaient encore mouillés et, s'il ne pleuvait plus, de grosses gouttes fluides tombaient encore de la corniche et des arbres.

La Seine était grise. Un remorqueur et ses quatre bateaux attendaient devant l'écluse. Très loin, au milieu d'une boucle de la rivière, on voyait graviter un autre train de péniches, entre deux lignes de forêt sombre.

La surface de l'eau blanchissait et Maigret se débarrassa de sa couverture, mit de l'ordre dans sa toilette. Il ne s'était rien passé. Il n'avait rien entendu. Pour se rassurer davantage, il ouvrit la porte et trouva l'inspecteur Lucas debout dans le corridor.

« Tu peux entrer. »

Lucas, pâle de fatigue, but de l'eau de la carafe et s'étira devant la fenêtre.

« Rien! dit-il. Personne n'a bougé. C'est le jeune couple qui s'est endormi le plus tard. A une heure du matin, ils chuchotaient encore. »

On vit arriver à vélo le chauffeur, qui n'habitait pas la maison.

« Je donnerais gros pour une tasse de café bien chaud, soupira Lucas.

176

— Va en faire ! »

On eût dit que son souhait avait été deviné. On perçut en effet un glissement dans le couloir et Mme Ducrau, en peignoir, un madras sur la tête, s'avança sans bruit.

« Déjà levés ? s'étonna-t-elle. Je vais vite préparer le petit déjeuner. »

Le drame n'avait pas eu de prise sur elle. Elle était la même qu'elle avait dû être toujours, triste et besogneuse.

« Reste quand même dans le corridor. »

Maigret se lava à l'eau froide pour s'éveiller et bientôt il vit en se retournant que le fleuve avait changé de couleur cependant que passait le train de bateaux déjà éclusé. Il y avait du rose au ciel, des chants d'oiseaux. Un moteur bourdonna, celui de la voiture que le chauffeur sortait du garage. Mais ce n'était pas encore le grand jour. On gardait, dans les moelles, la fraîcheur de la nuit et le soleil n'avait pas donné sa vie au paysage.

« Patron, le voici... »

C'était Ducrau qui sortait de sa chambre et qui entrait chez Maigret, les bretelles sur les reins, les cheveux non peignés, la chemise ouverte sur sa poitrine velue.

« Vous n'avez besoin de rien ? Vous ne voulez pas que je vous prête un rasoir ? »

Il regarda la Seine, lui aussi, mais d'un autre œil, et constata :

« Tiens ! ils ont déjà recommencé le sable. »

C'était à nouveau, en bas, le bruit du moulin à café.

« Dites donc, pour aller en prison, qu'est-ce que j'ai le droit d'emporter ? »

Ce n'était pas une plaisanterie. Il parlait simplement.

« Si vous voulez, nous partirons tout de suite après le petit déjeuner et nous déposerons Gassin à bord, ce qui me permettra peut-être d'apercevoir Aline... »

Il était vraiment énorme et, en négligé, il avait l'air d'un ours, surtout quand les pantalons tire-bouchonnaient sur ses jambes.

« Il faut encore que je vous demande quelque chose. Vous savez ce que j'ai dit hier au sujet du fric. Je peux le faire, bien entendu, et ça mettrait en rage ma fille et son mari. Mais étant donné les circonstances... »

C'était bien fini ! Il était réveillé, avec, comme après une terrible ivresse, la bouche amère et la tête froide.

« En tout cas, vos concurrents se réjouiraient... », dit Maigret.

C'était assez. Ducrau retrouvait son lourd regard de patron.

« Quel avocat me conseillez-vous ? »

Le remorqueur sifflait pour s'annoncer à l'écluse suivante et précisait par la même occasion le nombre de ses remorques. On n'entendit pas venir Mᵐᵉ Ducrau, qui avait des pantoufles de feutre.

« Le café est servi, dit-elle humblement.

— Ça ne vous gêne pas que je descende comme je suis ? C'est une vieille habitude. Nous allons prévenir Gassin... »

C'était la chambre voisine. Ducrau frappa à la porte.

« Gassin !... Hé ! vieux !... Gassin !... »

Déjà l'angoisse l'empoignait. Sa main chercha le bouton de la porte. Il ouvrit, fit un pas, se retourna vers Maigret.

Il n'y avait personne dans la chambre. Le lit n'était pas défait et la chemise de nuit préparée par M\ :superscript:`me` Ducrau était toujours, bras écartés, sur la couverture.

« Gassin ! »

La fenêtre n'était même pas ouverte et Maigret eut malgré lui un regard soupçonneux vers l'inspecteur. Mais Ducrau avait aperçu quelque chose, une enflure du rideau. Il s'avança, calme et froid, tira le tissu.

Un corps pendait, tout sombre, tout étiré, contre le mur. La corde n'était pas très solide car, au premier mouvement, elle cassa et le vieux roula par terre, d'un bloc, comme une statue, au point qu'on put croire qu'il allait se briser.

***

L'odeur de pipe froide régnait encore dans la salle à manger où traînaient des verres sales et des cendres. La nappe était tachée de la veille. La voiture attendait juste en face de la fenêtre que l'on venait d'ouvrir.

On n'avait rien dit à Mme Ducrau et le jeune couple, qu'on entendait aller et venir à l'étage, n'était pas encore prêt à descendre.

Les coudes sur la table, Ducrau mangeait. C'était inouï ce qu'il avalait pour son petit dejeuner, farouche, talonné, eût-on dit, par la plus terrible des fringales. Il ne disait rien. Ses mâchoires faisaient du bruit. Il en faisait plus encore en absorbant son café au lait.

« Descends mon veston, mon col et ma cravate.

— Tu ne vas pas t'habiller dans la chambre ?

— Fais ce que je te dis. »

Il regardait droit devant lui. Il mangeait vite. Quand il se leva enfin pour passer le veston que sa femme lui tendait, il étouffait.

« Je t'avais préparé une valise.

— On verra plus tard.

— Tu n'attends pas que Berthe ?... »

Elle montra le plafond, mais il ne répondit même pas.

« Et Gassin ?

— L'inspecteur s'en occupe », intervint Maigret.

Et c'était vrai, puisque Lucas avait déjà téléphoné à la police locale et au Parquet.

Ils partirent tous les deux, Ducrau et le commissaire, avec une précipitation maladroite.

Ducrau embrassa le front de sa femme peut-être sans s'en rendre compte.

« C'est promis, Émile ? Nous reprendrons le chaudron ?

— C'est ça ! C'est ça ! »

Il était pressé. On eût dit que quelque chose le tirait en avant. Il se jeta lourdement au fond de sa voiture et ce fut Maigret qui commanda le chauffeur :

« A Charenton. »

Ils ne se retournèrent pas. A quoi bon ? Et on avait déjà parcouru des kilomètres dans la forêt de Fontainebleau, quand Ducrau prononça, en serrant le bras de Maigret :

« C'est vrai que je ne sais même pas pourquoi j'ai couché avec sa femme ! »

Puis, sans transition, au chauffeur :

« Vous ne pouvez pas aller plus vite ? »

Sa barbe avait poussé. Pas lavé, il avait le teint sale. Il chercha en vain sa pipe qu'il avait oubliée et ce fut le chauffeur qui lui tendit un paquet de cigarettes bleues.

« Vous me croirez si vous voulez, mais j'ai rarement été aussi heureux qu'hier au soir. Il me semblait... C'est difficile à expliquer. Savez-vous ce que la vieille a fait, quand nous avons été couchés ? Elle s'est blottie contre moi en pleurant et en me disant que j'étais bon. »

Sa voix était toute barbouillée, comme si des tas de choses eussent empli sa gorge.

« Plus vite, nom de Dieu! » supplia-t-il en se penchant sur le chauffeur.

Et c'étaient Corbeil, Juvisy, Villejuif et toutes les autos des propriétaires de villas qui, le lundi matin, rentrent à Paris. Il y avait autant de soleil que la veille. La pluie n'avait fait que verdir davantage les champs et le feuillage. On s'arrêta devant une station d'essence où il y avait huit pompes rouges en rang dans la lumière et le chauffeur dit à son patron :

« Vous avez cent francs ? »

Ducrau lui tendit tout son portefeuille. Enfin ce fut Paris, l'avenue d'Orléans, la Seine. On lavait les vitres des bureaux, quai des Célestins. Ducrau se pencha à la portière. Devant un petit bistrot, il arrêta l'auto.

« Je peux acheter une pipe et du tabac ? »

Dans le débit il ne trouva qu'une pipe en merisier, à deux francs, qu'il bourra lentement. Les quais défilaient. On dépassait les barriques de Bercy.

« Pas si vite ! »

On devina l'écluse que surmontait une péniche à vide qui était tout en haut du sas. Le concasseur fonctionnait déjà. Il y avait du linge à sécher sur les bateaux à quai. Au bistrot, des hommes en casquette de marinier reconnurent le patron et s'approchèrent de la vitre.

« Je crois qu'il vaut mieux... », commença Ducrau.

Mais il surmonta sa faiblesse et descendit

l'escalier de pierre. Ce n'était pas sa maison qu'il regardait, ni la fenêtre ouverte, derrière laquelle on apercevait la servante. Il s'engageait sur la frêle passerelle de *La Toison d'Or*. Des gens le saluaient des autres péniches.

Il se pencha vers l'écoutille en même temps que Maigret et en même temps que lui, il vit Aline, un sein nu, un enfant dans les bras, près de la table que couvrait une nappe à fleurs roses. Elle berçait le petit tout en regardant droit devant elle. Et quand parfois le sein échappait à la petite bouche avide, elle le lui rendait d'un geste machinal.

Il faisait chaud. Le poêle était allumé depuis longtemps. Au portemanteau pendait un lourd veston du vieux Gassin et ses souliers cirés étaient posés en dessous.

D'un geste lent et ferme, Maigret empêcha Ducrau d'entrer, l'attira vers le gouvernail et lui tendit une lettre écrite sur du papier de bistrot.

... Je t'écris pour te dire que je me porte bien et j'espère que la présente te trouvera de même...

Ducrau ne comprenait pas. Mais peu à peu lui apparaissaient l'auberge, le village de la Haute-Marne et la sœur de Gassin, qu'il avait connue jadis.

« Elle sera très bien là-bas », dit Maigret.

Le soleil devenait plus chaud. Un marinier cria en passant :

« L'*Albatros* est en panne à Meaux! »

Il s'adressait à Ducrau et il fut sans doute très etonne de ne recevoir aucune réponse.

« Nous partons? »

On les regardait de partout. Quelqu'un vint même à leur rencontre sur le quai, toucha sa casquette.

« Dites, patron, c'est rapport aux pierres à décharger.

— Plus tard.

— C'est que...

— Fiche-moi la paix, Hubert! »

Le tramway étirait son ruban coloré sur le gris des pavés. Le concasseur semblait broyer le paysage tout entier cependant qu'une fine poussière blanche retombait sur les choses.

L'auto avait fait demi-tour. Ducrau regardait derrière lui par la petite ouverture de la carrosserie.

« C'est formidable! soupira-t-il.

— Quoi?

— Rien. »

Est-ce que vraiment Maigret ne comprenait pas? C'était lui, maintenant, qui avait envie de voir le chauffeur se hâter. Il lui semblait que chaque minute qui s'écoulait était un danger. Ducrau suait à grosses gouttes. A certain moment, comme on dépassait un tramway, sa main se crispa sur la poignée de la porte.

Mais non! Il était sage! On franchissait le

Pont-Neuf. Le chauffeur se retourna pour demander :

« Au tabac? »

Car le tabac Henri-IV était toujours là, rouge et blanc, face à la statue équestre.

« Arrêtez ici, dit Maigret. Vous retournerez à Samois et vous attendrez... »

Il valait mieux marcher. Il n'y avait que cent mètres à parcourir. C'était encore le long de la Seine. Ducrau était du côté du parapet.

« En somme, vous allez pouvoir partir chez vous dès maintenant? dit-il brusquement. Vous gagnez deux jours!

— Je ne sais pas encore.

— C'est joli, là-bas?

— C'est calme. »

Vingt mètres encore, la rue à traverser et c'étaient les bâtiments noirs du Palais de Justice, le grand portail du Dépôt, avec son guichet à droite.

Pour la seconde fois, la main de Ducrau s'accrocha au bras du commissaire et, tandis qu'ils traversaient la chaussée, l'armateur haleta :

« Je ne peux pas! »

Il devait parler de la Seine, du tramway, de la corde, de tout ce qui pouvait empêcher...

Sur le trottoir, il se retourna. Le factionnaire avait reconnu Maigret. Le guichet s'ouvrait déjà.

« Je ne peux pas! » répéta Ducrau en entrant sous le porche sonore tandis qu'une plume se trempait dans l'encre violette pour inscrire ses noms et prénoms au livre d'écrou.

Un remorqueur avalant sifflait deux coups, annonçant qu'il prenait la deuxième arche, et une péniche belge, qui montait, obliquait dans le courant afin d'entrer dans la troisième.

OUVRAGES DE GEORGES SIMENON
AUX PRESSES DE LA CITÉ

COLLECTION MAIGRET

LES INTROUVABLES

ROMANS

SÉRIE POURPRE

OUVRAGES DE GEORGES SIMENON
AUX PRESSES DE LA CITÉ (suite)

« TRIO »

I. — La neige était sale — Le
destin des Malou — Au
bout du rouleau
II. — Trois chambres à Man-
hattan — Lettre à mon
juge — Tante Jeanne
III. — Une vie comme neuve
— Le temps d'Anaïs — La

fuite de Monsieur Monde
IV. — Un nouveau dans la
ville — Le passager clan-
destin — La fenêtre des
Rouet
V. — Pedigree
VI. — Marie qui louche —
Les fantômes du chapelier

— Les quatre jours du
pauvre homme
VII. — Les frères Rico — La
jument perdue — Le fond
de la bouteille
VIII. — L'enterrement de M
Bouvet — Le grand Bob
— Antoine et Julie

PRESSES POCKET

Monsieur Gallet, décédé
Le pendu de Saint-Pholien
Le charretier de la Provi-
dence
Le chien jaune
Pietr-le-Letton
La nuit du carrefour
Un crime en Hollande
Au rendez-vous des Terre-
Neuvas
La tête d'un homme

La danseuse du gai moulin
Le relais d'Alsace
La guinguette à deux sous
L'ombre chinoise
Chez les Flamands
L'affaire Saint-Fiacre
Maigret
Le fou de Bergerac
Le port des brumes
Le passager du « Polarys »
Liberty Bar

Les 13 coupables
Les 13 énigmes
Les 13 mystères
Les fiançailles de M. Hire
Le coup de lune
La maison du canal
L'écluse n° 1
Les gens d'en face
L'âne rouge
Le haut mal
L'homme de Londres

A LA N.R.F.

Les Pitard
L'homme qui regardait pas-
ser les trains
Le bourgmestre de Furnes
Le petit docteur
Maigret revient

La vérité sur Bébé Donge
Les dossiers de l'Agen-
ce O
Le bateau d'Émile
Signé Picpus

Les nouvelles enquêtes de
Maigret
Les sept minutes
Le cercle des Mahé
Le bilan Malétras

ÉDITION COLLECTIVE SOUS COUVERTURE VERTE

I. — La veuve Couderc —
Les demoiselles de
Concarneau — Le coup
de vague — Le fils Cardi-
naud
II. — L'Outlaw — Cour d'as-
sises — Il pleut, bergère...
— Bergelon
III. — Les clients d'Avrenos
— Quartier nègre — 45° à
l'ombre
IV. — Le voyageur de la
Toussaint — L'assassin
— Malempin
V. — Long cours — L'évadé

VI. — Chez Krull — Le sus-
pect — Faubourg
VII. — L'aîné des Ferchaux
— Les trois crimes de mes
amis
VIII. — Le blanc à lunettes —
La maison des sept jeu-
nes filles — Oncle Charles
s'est enfermé
IX. — Ceux de la soif — Le
cheval blanc — Les incon-
nus dans la maison
X. — Les noces de Poitiers
— Le rapport du gen-
darme G. 7

XI. — Chemin sans issue —
Les rescapés du « Télé-
maque » — Tou-
ristes de bananes
XII. — Les sœurs Lacroix —
La mauvaise étoile — Les
suicidés
XIII. — Le locataire — Mon-
sieur La Souris — La
Marie du Port
XIV. — Le testament Dona-
dieu — Le châle de Marie
Dudon — Le clan des
Ostendais

MÉMOIRES

Lettre à ma mère
Un homme comme un autre
Des traces de pas
Les petits hommes
Vent du nord vent du sud
Un banc au soleil
De la cave au grenier
A l'abri de notre arbre
Tant que je suis vivant
Vacances obligatoires

La main dans la main
Au-delà de ma porte-fenêtre
Je suis resté un enfant de
chœur
A quoi bon jurer ?
Point-virgule
Le prix d'un homme
On dit que j'ai soixante-
quinze ans
Quand vient le froid

Les libertés qu'il nous reste
La Femme endormie
Jour et nuit
Destinées
Quand j'étais vieux
Mémoires intimes

Achevé d'imprimer en février 1983
sur les presses de l'Imprimerie Bussière
à Saint-Amand (Cher)

Presses
Pocket

8 rue Garancière
75006 Paris
tél. 329 12 80

— Nº d'édit.1234. — Nº d'imp. 266. —
Dépôt légal : 3e trimestre 1977.
Imprimé en France